D0926198

EMILIANO TARDIF
JOSE H. PRADO FLORES

JESUS ES EL MESIAS

PUBLICACIONES KERYGMA
MEXICO 1989

Imprimatur
+ Nicolás de Jesús López
Arzobispo de Santo Domingo

CONTENIDO

PRESENTACION

En 1985 comenzamos a preparar estas páginas.

Con mucho cuidado íbamos seleccionando y archivando los mejores testimonios y cartas que recibíamos.

En una ocasión me invitaron a predicar una serie de retiros en Venezuela.

Al salir de mi casa, tomé con mucho cuidado mi carpeta con unos 30 bellos testimonios de las curaciones más interesantes de los últimos años, con el fin de entregársela a mi compañero de predicacón, con quien iba al mismo tiempo a escribir el nuevo libro.

Tuvimos primeramente un retiro para sacerdotes en Los Teques y luego otro para líderes de la Renovación Carismática.

El último día, el Arzobispo de Barquisimeto, nos llevó en su automóvil a Caracas, a un estadio donde se reunían más de 10,000 personas para escuchar la Palabra del Señor.

Predicamos en un ambiente de mucho fervor y recogimiento. La fe de aquella gente era tanta, que comenzaron a curarse algunos enfermos, aun antes de que hiciéramos la oración de sanación.

Al terminar, estábamos cansados, pero muy contentos en aquella región donde está viva la figura de el libertador Simón Bolívar que exclamó: "Yo no descansaré hasta que vea libre a mi pueblo".

Al salir del estadio y disponernos a descansar, nos dimos cuenta que unos ladrones habían abierto el auto y se habían llevado todas nuestras cosas: mi maleta con mis cosas, mi portafolios con mi pasaporte y boletos de viaje. Todo había desaparecido.

Sin Embargo, lo que más nos dolió fue perder aquella carpeta llena de valiosos testimonios.

Entonces dije al Señor:

Señor, si quieres que escribamos este nuevo libro,
tú vas a hacer más curaciones.
Estos testimonios se pueden perder,
pero tú no te puedes perder.

Las siguientes páginas son una respuesta del Señor a esa oración, pero sobre todo son un testimonio de lo que Dios está haciendo en el mundo que tanto ama.

El no se ha perdido, al contrario, parece que multiplicó los signos, prodigios y milagros que acompañan la proclamación de la victoria de Cristo Jesús sobre el pecado y la muerte.

El Señor Jesús no descansa hasta ver completamente libre a su pueblo: libre del pecado y de la muerte, libre de la opresion y la cautividad.

Emiliano Tardif M.S.C.

Santo Domingo, República Dominicana, 25 de marzo de 1989

INTRODUCCION

Jesús es el Mesías y no debemos esperar a otro.

En él se cumplen los signos proféticos que identifican al Mesías, salvador de este mundo.

No hay otro nombre dado a los hombres para ser salvados.

No hay otro mediador entre Dios y los hombres que Jesucristo, el Señor, que tiene todo poder en el cielo y en la tierra, y ha enviado a su Iglesia a anunciar la Buena Nueva de la salvación y a instaurar el Reino de Dios.

Estas páginas son un brinco al Evangelio,
que es el mismo ayer, hoy y siempre, mostrando cómo Jesús resucitado sigue dando pruebas de que está vivo y vivifica a los que creen en su nombre.

Por último, debo confesar que en cada página buscamos sólo centrarnos en Jesús, y no en ninguna otra persona.

Teníamos demasiado material, y a veces tantos reconocimientos, que debemos subrayar desde un principio lo que una y otra vez repetiremos en cada página:

El Padre Emiliano no es sino el burrito del Domingo de Ramos que lleva a Jesús por todas partes.

El ministerio del Padre Emiliano Tardif es como el dedo de Juan Bautista que nos indica con claridad:
"Jesus es el Cordero de Dios que quita el pecado del mundo".

Mantengamos, pues, los ojos fijos en Jesús, y sólo en Jesús.

No miremos al Padre Emiliano, sino a quien él mira:
A Jesús, el Mesías, que sigue mostrando hoy día los signos que lo identifican como el Mesías prometido que habría de salvar este mundo.

El mundo de hoy no necesita un nuevo Evangelio, sino una nueva evangelización con el poder del Espíritu Santo, acompañada de curaciones y milagros, que muestren la victoria de Cristo Jesús sobre el pecado, la enfermedad y la muerte.

José H. Prado Flores

Guadalajara, Jal., 25 de marzo de 1989

1

¿ERES TU EL MESIAS?

Lc 7, 18-23; Mt 11, 2-6

Cada día crecían más y más las ansias liberadoras del oprimido pueblo de Israel. Los hijos de Jacob soñaban con el día en que apareciera el descendiente de David que pastoreara al pueblo en justicia y libertad.

La dominación imperialista de Roma levantaba clamores al cielo para que apareciera el nuevo Moisés que lo liberara de las garras de las águilas romanas, cuyos estandartes ondeaban en la Torre Antonia.

El pueblo, con verdes ramas de esperanza, estaba preparado para dar la bienvenida *"al que viene en nombre del Señor"*.

En esas circunstancias, una potente voz rompió el silencio en el árido desierto de Judea. Juan Bautista se convirtió en la estrella más brillante en el escenario religioso de Israel.

Desde la capital bajaban al Jordán soldados, escribas y autoridades religiosas que venían a oír a Juan y ser bautizados por él. Su figura se fue agigantando tan rápidamente, que hizo surgir una vez más la inquietante pregunta: "¿No será acaso el Mesías?".

Juan confesó la verdad que desengañó a muchos:

"Yo bautizo con agua, pero en medio de vosotros está uno a quien no conocéis; que viene detrás de mí, a quien yo no soy digno de desatarle la correa de su sandalia": Jn 1,27.

Para acrecentar más la desilusión, su voz fue pronto silenciada por Herodes en un calabozo del palacio real. Una vez más las esperanzas de Israel se veían fallidas y había que seguir esperando y esperando la venida del Salvador.

- Juan era la voz... pero ¿quién sería la Palabra?
- Juan era el amigo del novio... pero ¿cuándo aparecería el novio para celebrar la boda con el vino nuevo de la alegría?
- Juan era el testigo de la luz... pero ¿cuándo amanecería el nuevo día que no conoce ocaso?

De pronto, de la fértil Galilea, y precisamente de un pequeño pueblo, Nazareth, apareció un hombre llamado Jesús, a quien todo mundo seguía y escuchaba. Todo lo hacía bien. No predicaba como los escribas ni fariseos; era manso y humilde de corazón y hablaba de un Reino de justicia y paz.

La expectación iba creciendo en torno a su figura. Algunos pensaban que era Elías o Jeremías o uno más de los profetas. Otros pensaban que Dios había visitado a su pueblo.Juan, primo de Jesús, sabía ciertas cosas que los demás ignoraban. El Bautista se daba cuenta que su pariente casi llenaba todo el molde de las profecías mesiánicas:

- **Hijo de David:** Según la profecía de Natán, un hijo de David se sentaría eternamente en el trono de Israel (2Sam 7,13-14). Juan sabía que los antepasados de Jesús pertenecían a la Casa real de David...
- **Nacido de una virgen:** La señal dada por Isaías a Ajaz era que de una doncella nacería aquel que fuera Emmanuel: Dios con nosotros (Is 7,14). Esa virgen era su tía María.

- **Nacido en Belén**: Miqueas había asegurado que el Mesías nacería en Belén (Miq 5,1-3). Mientras todo mundo suponía que Jesús era de Nazareth, y por eso le llamaban "Nazareno", Juan sabía que había nacido en Belén y por tanto en él se cumplía la profecía.

- Se llamaba **"el hijo del hombre"** haciendo eco a la profecía de Daniel (7,13-14).

- Su nombre, **Yeshúa**, reflejaba el ideal mesiánico descrito por Jeremías (23,6).

- **Ungido por el Espíritu:** Juan había sido el testigo más cercano cuando, en las aguas del Jordán, el Espíritu de Dios se posó sobre Jesús y le llenó con su poder, tal como lo vislumbró el profeta Isaías: 11,1-2.

En Jesús iban encajando cada una de las profecías, pero faltaba algo que Juan no podía constatar desde la cárcel: los signos que el profeta Isaías (35,5-6) había descrito como identificación de los tiempos mesiánicos:

Entonces se despegarán los ojos de los ciegos.
y los orejas de los sordos se abrirán.
Entonces saltará el cojo como ciervo,
y la lengua del mudo lanzará gritos de júbilo:

Para despejar la incógnita, Juan envió entonces a dos de sus discípulos para que ellos por sí mismos se dieran cuenta. El Bautista quería saber la respuesta a la pregunta fundamental de la historia, pero sobre todo, buscaba que sus discípulos constataran la verdad. De hecho, esta fue la enseñanza más grande del Precursor: "No lo crean porque yo se los digo. Vayan ustedes y convénzanse por ustedes mismos".

La pregunta tenía dos partes:

- ¿Eres tú el que ha de venir? Si eres, muéstralo. Ya no nos tengas en ascuas. No se trata de palabras. Muchos han aparecido diciendo que son los esperados, y a algunos los han matado; otros han fracasado en su intento liberador. ¿Qué signos das para demostrar que tú sí eres el Mesías?

- ¿O debemos esperar a otro? ¿Seguiremos siendo eternos peregrinos que jamás llegan a la Tierra Prometida? ¿Continuaremos implorando sin cesar para que los cielos lluevan al Salvador de este mundo?

Este cuestionamiento resume el pensamiento y el sentimiento de Israel:

> Ya hemos recorrido el camino de la historia. Nos hemos cansado de falsos mesianismos. ¿Es que hemos de seguir esperando inciertos? ¿Todavía aparecerán quienes se quieran atribuir el título de *"Ungidos"* que vienen a instaurar el Reino de justicia, gozo y paz? ¿Es que debemos seguir con una lámpara de aceite, hasta que aparezca el sol de justicia con la salud en sus rayos?
>
> Ya estamos cansados de tantos que usurpan este glorioso título y dudamos de todo aquel que pretenda ser el Mesías. Ya no seremos tan ingenuos, hasta no ver primero que se cumplan los oráculos de los profetas y se muestren las credenciales de autenticidad.
>
> Muéstranos, pues, las señales que identifican al Mesías, para que no nos quede duda y podamos entregarnos sin condiciones a ti. Si tú eres el Mesías, entonces te seguiremos y entregaremos toda nuestra vida.

Jesús los escuchó pero no respondió con palabras, sino con hechos: *curando los enfermos, liberando a los endemoniados, limpiando leprosos, levantando paralíticos y resucitando muertos.*

¡Era el cumplimiento de la era mesiánica descrita por Isaías!:

El Espíritu está sobre mí porque me ha ungido:
Me ha enviado a anunciar la Buena Nueva a los pobres,
a proclamar la libertad a los cautivos
y la vista a los ciegos
para dar libertad a los oprimidos
y proclamar un año de gracia del Señor.
Is 61,1-2.

Este texto fue el mismo que Jesús había seleccionado para manifestar su programa de acción, y así lo proclamó en la Sinagoga de Nazareth (Lc 4,18-19). De esta manera estaba queriendo decir: "Si yo soy capaz de cumplir esta Escritura, es que soy el Mesías...".

Pero no era nada más para aquellos tiempos sino para todo hombre de cualquier época. Si Jesús hoy día es capaz de llenar este molde, esto significa que es el Mesías anunciado por los profetas, el esperado de las naciones y el Salvador del mundo.

Yo, como discípulo suyo, quiero dar testimonio de que Jesús es el Mesías, porque en él se cumplen hoy los signos que lo acreditan como tal. A lo largo y ancho del mundo, Jesús sigue manifestando que *es el mismo ayer, hoy y siempre.* Lleno de poder del Espíritu Santo, hace visibles los signos en que el Mesías debe ser reconocido.

Jesús fue el Mesías para el Pueblo de Israel de hace 2000 años; pero nosotros, los que creemos en él, somos *el Israel de Dios*. Por eso, él sigue hoy día dando las pruebas de su mesianismo.

Estos signos estaban destinados para todos los hombres de todos los tiempos. Hoy en día Jesús sigue dando pruebas de que él no sólo era el Mesías, sino de que él es el Mesías porque las profecías mesiánicas se siguen cumpliendo en nuestro tiempo.

No puedo dejar de hablar de lo que he visto y oído. Me siento obligado a cumplir el mandato de Jesús a los discípulos de Juan Bautista:

> *Id y contad lo que veis y oís:*
> *Los ciegos recobran la vista,*
> *los cojos andan,*
> *los leprosos quedan limpios,*
> *los sordos oyen,*
> *los muertos resucitan*
> *y los pobres son evangelizados:*
> Lc 7,22.

A.- Los ciegos recobran la vista

Tal vez la sanación mesiánica por excelencia sea el abrir los ojos a los ciegos. Jesús es la luz del mundo, y participa esa luz a los ciegos como signo de que su luz nos hace salir de la oscuridad del error y la mentira. Cuando sana a un ciego de nacimiento nos recuerda que nos ha hecho pasar *"de las tinieblas a su luz admirable":* 1Pe 2, 9.

Cada vez que un ciego recobra la vista se muestra que Jesús es la luz que viene *a iluminar a los que se hallan sentados en tinieblas y en sombras de muerte para guiar nuestros pasos por el camino de la paz:* Lc 1, 79. Este testimonio nos muestra que Jesús es luz para el hombre de hoy:

> Estábamos terminando una jornada de evangelización en Mbandaka, Zaire. Durante la Eucaristía de clausura donde había unas 15,000 personas, una niña de ocho años, ciega de nacimiento, comenzó a gritar: "Je vois, je vois": yo veo, yo veo.
>
> Todo mundo la rodeó. Ella entonces preguntó: "¿Quién es mi mamá?". Unos brazos abiertos, dos ojos llorosos y una sonrisa maternal, le dieron la respuesta. Entonces, cobijada por los brazos de su madre, exclamó en voz alta: "Oh, mamá, tú sí que eres bella...".

Esta es la primera sanación de un ciego de nacimiento que presencio; pero lo más importante fue que todos nos dimos cuenta de que Jesús es la luz el mundo, capaz de iluminar la vida de todo aquel que se encuentra necesitado de salvación. Cuando un ciego de nacimiento recobra la vista, estamos delante de un signo claro que muestra que Jesús puede sacar al hombre de la tiniebla más oscura y que es capaz de cambiar cualquier condicionamiento congénito, siendo el pecado el peor y más grave de todos.

El siguiente testimonio de Panamá muestra cómo el signo de recobrar la vista se repite, pero el significado es igual: Jesús es el mismo, ayer, hoy y siempre.

Un sábado, durante la Misa de sanación, el Padre Emiliano dijo que el Señor había sanado a una señora muy enferma de los ojos. Sin embargo, me dije: "Esa no soy yo".

El domingo, el Padre dijo que iba a orar por los enfermos y pidió que cada uno pusiera sus manos donde necesitaba sanación. Puse mis manos sobre mis ojos y escuché que el Señor había sanado a unas mujeres de cataratas en los ojos. Yo exclamé: "¡Señor, si soy yo, gracias!".

Al regresar a la ciudad de David, pedí que pusieran el cassette de los cantos y todas sacamos el folleto de canciones. Mi sorpresa fue que al abrirlo vi claramente las palabras escritas en él y exclamé: "El Señor me está sanando, puedo ver las palabras". Lloré de alegría al mirar unos palos de sauce, un árbol lleno de fruta, un platanar, la hierba... y luego añadí: "Gracias, Señor, porque me permites ver lo que has hecho en la naturaleza". Continué viendo la carretera iluminada por los faros de los automóviles.

Yo estaba planeando ir a la ciudad de Panamá con el Doctor Rubén Orilla, para que me pusiera unos lentes a fin de mejorar mi visión y poder atender a mi hija, que iba a tener su primer hijo. Sin embargo, nuestros planes no son los planes del Señor. El tenía un tiempo determinado para sanarme y él sabía que yo esperaba confiadamente.

Cada día le doy gracias al Señor por su amor y su misericordia, y por continuar haciendo tantas maravillas en su pueblo. Doy mi testimonio para que sepan que Jesús vive y continúa haciendo los prodigios de hace dos mil años.

En Guadalajara, María M. Pérez, reportera de el periódico *El Occidental* relató el siguiente caso el 26 de marzo de 1987:

La tarde del martes 24 de marzo, en la Villa del Espíritu Santo, el Padre Tardif anunció muchas sanaciones de enfermedades de la piel, de la columna vertebral, de los hombros, ojos, oídos, cáncer, corazón, artritis, asma, riñones y otras más. Sin embargo, una de las que más conmovió a los presentes fue la de un niño de 11 años, Alejandro Anguiano Contreras, quien llegó a esa reunión sin poder ver casi nada.

A pesar de su corta edad, Alejandro contaba con cuatro operaciones en su historial clínico y los médicos le dijeron a su madre, la señora María Contreras, que "su niño ya no tenía remedio y que mejor le fuera buscando una escuela para ciegos". Sin embargo, esa tarde, durante la oración, Alejandro abrió los ojos y recobró la vista. Luego, tanto él como su mamá lloraban emocionados, porque el pequeño apreciaba de nuevo los colores, las flores y las personas que lo rodeaban.

El siguiente testimonio de una persona sanada delante de 40,000 asistentes a la Convención de La Renovación en Rímini, Italia, en 1988, es muy hermoso porque lo narra un niño de apenas doce años:

Me llamo Luca Pilo y soy de Canegrate (Milán); tengo doce años y frecuento la segunda media. Desde hace aproximadamente un año estoy en el grupo de Renovación en el Espíritu Santo. Este año he venido a la Convocación Nacional con mi tía Luciana y de algunos miembros del grupo. Lo que me pasó ha superado todo lo que yo me esperaba.

Nací con una lesión del nervio óptico y no distinguía los colores. Me operaron en una clínica de Varese en 1984. Como no podía andar solo, siempre debía ser acompañado para ir a la escuela, o a la Iglesia, o a cualquier parte.

Hace algunos días dije a mis familiares: "Voy al Congreso de Rímini, y el Señor o me sana o me lleva al Paraíso. De manera particular he rogado ayer (23 de abril) por mi sanación".

Durante el ministerio de sanación del Padre Emiliano Tardif sentí como que me tomaban de las manos y advertí que de mis ojos se desprendía algo como escamas, que me hizo recordar la conversión de Saulo. Se lo comuniqué a mi tía, que estaba cerca. Ella me tenía tomado de la mano y, sintiéndola helada, creyó que me había puesto mal otra vez. Yo le repetía: "Me siento bien, quiero quitarme los anteojos, porque veo".

Busqué un pañuelo blanco para cerciorarme de mi curación. Justamente por los micrófonos de la sala se anunciaba que un niño estaba sanado de la vista. Me emocioné al sentir en esta sanación el amor de Jesús. Me levanté del banco y salí de las graderías.

Mis lentes están desde ayer en la bolsa de mi tía, en la recámara del hotel. ¡Gracias, Jesús!

El profeta Isaías había identificado los tiempos mesiánicos afirmando: ***Entonces*** *se abrirán los ojos de los ciegos.* Si Jesús hoy abre los ojos a los ciegos, eso significa que estamos en el ***entonces*** al que se refería el profeta.

¡Estamos en los tiempos mesiánicos!

B.- Los cojos andan

Tal vez por ser lo más constatable por parte de todos, el levantamiento de un paralítico es una señal privilegiada que demuestra que Jesús es el Mesías Salvador.

Así lo declaró él mismo cuando dijo a aquel paralítico:

Para que los hombres sepan que el Hijo del hombre
tiene poder en la tierra para perdonar los pecados,
a ti te lo digo: levántate, toma tu camilla y vete a tu casa:
Mc 2,10-11.

Hoy día Jesús es generoso en estos signos. El siguiente testimonio es hermosísimo. Giovanna nos narra su proceso de sanación que culminó el 6 de julio e l986, en Laureana Cilento, Italia. Es muy importante observar el papel evangelizador de una comunidad que la lleva a los pies de Jesús.

Mi nombre es Giovanna Monzo, tengo 19 años y estoy deseosa de contar las maravillas que Jesús ha hecho en mi vida. El me hizo renacer después de 14 años de vegetar en una vida sin sentido.

Desde el día de mi nacimiento he sido víctima de una rara enfermedad de los huesos, que los médicos desconocían, y menos sabían cómo atacarla (osteoporosis). Es una enfermedad hereditaria que debilita los huesos, carcomiéndolos irremediablemente por una descalcificación crónica.

A los 40 días de nacida, a causa de mi permanente llanto, mis padres se dieron cuenta de que tenía una fractura en el fémur derecho. Me llevaron al hospital, pero los médicos, sin saber de qué se trataba, empeoraron mi situación. Después de siete operaciones y cuatro años de hospitalización le dijeron a mis padres que, al llegar a la edad de mi desarrollo físico, me moriría o quedaría paralítica.

Pero mis padres, a pesar de ser pobres, no se dieron por vencidos y me llevaron al Instituto Ortopédico Rizzoli, en Bologna, donde empezaron una serie de intervenciones quirúrgicas: en total fueron 18, la última hace cinco años.

A los 14 años mi corazón estaba lleno de amargura. Los únicos rostros que conocía eran los de mis padres y de muchos doctores de Italia. Estaba cansada y desesperada. Deseaba destruirme a mí misma y a todos los demás. ¿Por qué estaba condenada a pasar el resto de mi vida en esa silla de ruedas?

Me enfurecía oír a los vecinos de mi edad jugar en el patio, mientras que yo estaba sentenciada a permanecer en cama o a veces en el sillón, por otra fractura de mi cuerpo. Esa situación me hizo tomar la única solución que estaba a mi alcance: el suicidio. Ya no podía soportar una vida tan estúpida y vacía. Rechazaba que me nombraran a Dios, pues no podía conciliar la existencia de un Dios bueno y todopoderoso con mi sufrimiento. Para mí, Dios era un invento, y si algunas veces hablaban de El, les contestaba que si existía, era un Dios cruel.

En el verano de 1985, de diferentes formas intenté poner fin a lo que los demás osaban llamar vida. Una mañana de julio encontré una manera infalible para realizar mi plan: agarrarme del balcón de la terraza y empujarme hacía el vacío; jamás tendría la posibilidad de salvarme.

Así, me acerqué poco a poco al balcón y cuando sólo me faltaba hacer el esfuerzo final para lanzarme, intervino el Señor de la manera más inesperada. En esos precisos momentos mi abuelita me llamó porque unas señoritas deseaban conocerme. Me llenó de rabia darme cuenta de que no era libre ni para morir...

Ese verano el Padre Miguel Vassallo había abierto la *"Casa de Preghiera San Michele"* y había invitado a varios jóvenes a una semana de oración y evangelización. Se dividieron en grupos y empezaron a recorrer calles y pueblos llevando la Palabra de Jesús. Dos de ellas, Rossellina y Sabina, habían llegado en el momento exacto en que me iba a suicidar...

En mi silla de ruedas llegué a la sala-comedor. Como siempre, demostré toda mi angustia y rabia. Ellas no reaccionaron a la defensiva ni imponiendo sus puntos de vista,. sino comprendiéndome. En vez de mostrarme que yo estaba mal, me ofrecieron una gran sonrisa y me hablaron con una dulzura y un cariño que nunca había encontrado antes. Ese amor desarmó mi agresividad, pues no pude luchar con quienes no venían a atacarme.

Entonces me comunicaron que deseaban presentarme a un amigo. Yo esperaba verlo entrar, pero luego me dijeron que se llamaba Jesús y comenzaron a hablarme de él. Les pregunté por qué ese Jesús me había hecho sufrir de esta manera. Cuando dijeron que me amaba, les respondí que si esa era la forma de demostrármelo, no quería su amor.

Buscaron con mucha bondad y dulzura contestar mis preguntas, y se adentraron en el misterioso drama del sufrimiento en el mundo, a la luz de una cruz vacía, testigo del dolor y botín de victoria sobre el sufrimiento.

Sentí un profundo calor en mi cuerpo, sin explicarme la causa. Era como una dulce caricia del amor que siempre me había hecho falta.

Por un lado quería que ya se fueran, para volver al balcón y tirarme, pero por otro deseaba que siguieran dándome aquel bálsamo que suavizaba mi vida. Acepté su amistad, pero con una sola condición: que no me hablaran más de ese Jesús que me compartía su cruz... Ellas aceptaron y se fueron prometiendo regresar otro día. Mientras tanto, me preguntaba asombrada una y otra vez: ¿Qué ha pasado?

Esa misma tarde regresaron con otras 20 personas, todas con la misma sonrisa y la misma dulzura. Me tenían preparada una gran fiesta y me dedicaban todo su tiempo sin pedir nada a cambio. Ese día, por primera vez en 18 años de vida, sonreí. Después de haber conversado, Rosa María nos propuso orar todos juntos. Eso me molestó mucho, porque rompía nuestro pacto, pero acepté sólo por agradecimiento de todo lo que ellos habían hecho por mí, mas no por convicción.

Durante la oración, Rosa María pidió a Jesús que nos comunicara si deseaba sanarme. Abrió la Biblia y salió el pasaje del paralítico que no podía bajar a la piscina por sí mismo cuando el ángel movía las aguas, pero vino Jesús en su auxilio y lo sanó (Jn 5, 1-18).

Al terminar la lectura todos lloraban y me abrazaban, asegurándome que Jesús me iba a curar. Yo no entendía absolutamente nada. Pensé que todo eso era una farsa prefabricada, o que tal vez hasta se estaban burlando de mí. Me resistía a esperar mi sanación, por miedo a volver a ser defraudada. Pero ¿por qué, entonces lo hacían, si por mi parte no podía ofrecerles nada a cambio?

En septiembre tenía que afrontar otra intervención quirúrgica muy complicada, parecida a la última operación durante la cual arriesgué la vida. Pero como no tenía nada qué perder, decidí hacerme dicha operación: se trataba de transplantar 10 centímetros de hueso del fémur, que años antes me habían quitado. Se intentó hacerlo crecer por medio de una cura de "Calcitar", pero fue un medicamento tan fuerte que tuve que dejarlo, para evitar un colapso.

La revisión médica fue una prueba de que Jesús había comenzado a actuar en mi vida. El hueso había crecido y la herida se había cicatrizado perfectamente. Regresé a mi casa, pero en mi cabeza daba vueltas una pregunta: ¿Verdaderamente Jesús está tomando cuenta de mí?

El verano siguiente, vino Rossellina con Rosa María, acompañadas de otros dos jóvenes: Pino y Simón, dos nuevos ángeles que junto con los demás me ayudaron a conocer a Jesús.

Pino se transformó en el hermano mayor que nunca tuve: tomó muy de corazón mi historia, entendió que tenía necesidad de hechos y no de palabras, me enseñó a amar y a no depender de él ni de otros seres humanos, sino solamente de Dios. Luego se puso a trabajar para formar un grupo juvenil de oración, en el que tuve la oportunidad de conocer el inmenso amor de Dios.

Allí aprendí a oír la voz de Jesús en silencio y hablar con Dios como un amigo íntimo. Para entonces la sanación física ya no me interesaba. El milagro para mí ya había sucedido: Jesús me había regresado el gusto por la vida. Yo amaba y era amada.

En una ocasión, el Padre Miguel Vasallo nos habló con mucho entusiasmo de la próxima visita del Padre Emiliano Tardif, que viajaba por las grandes ciudades del mundo orando por los enfermos, pero que pronto subiría por las montañas del Cilento para hablarnos de las maravillas de Dios.

Todos estábamos felices, orando y preparando el retiro. Mientras que cada uno me aseguraba que se aproximaba "el día grande del Señor para mi vida", yo, desde mi silla de ruedas, ofrecía mi sufrimiento por el éxito de ese retiro. Sin embargo, Alessandra me insistía que esa silla de ruedas quedaría vacía...

Por fin llegó el esperado día. Todo era fiesta, alegría y esperanza. Vino gente de toda Italia, y aún de otros países de Europa. El sábado hubo proclamación sobre Jesús que sana interior y físicamente. Al día siguiente muchos daban testimonio de haber sido sanados, en medio de las alabanzas de la multitud.

Uno de los jóvenes del grupo, al ver tanta sanación, le reclamó al Señor: "Jesús, estás curando gente que vino desde Suiza. Sanaste aquella señora sorda de Milán. Por todas partes has repartido tus bendiciones, pero aquí donde te preparamos tu fiesta, ¿no vas a sanar a nadie? Tú no te puedes ir así nada más... ¿Qué va a decir la gente de aquí?".

El domingo los temas trataron de Jesús, que tiene todo poder en el cielo y en la tierra. Durante la oración por los enfermos oí que el Padre decía que el Señor estaba sanando a una persona que tenía problemas para caminar, y que estaba sintiendo un fuerte calor en las piernas porque era el Espíritu de Dios que la estaba fortificando.

En efecto, yo advertí el fuerte calor que subía de poquito a poco por mis piernas, y pensé que era debido a la emoción y felicidad de participar en el Congreso.

El Padre entonces añadió: "En este momento el Señor está haciendo una sanación muy grande...". Mi corazón palpitaba aceleradamente. Después de un instante que me pareció eterno, añadió: "Jesús está curando a un paralítico". Alessandra, que estaba sentada junto a mí, me gritó: "!Eres tú, Giovanna, eres tú!".

Yo sentía la mirada de todos los que me amaban. Alessandra lloraba, pero yo no me atrevía a dar el paso en fe. "Tú sientes un profundo calor en tu cuerpo", aclaró el Padre Emiliano. Eso era precisamente lo que estaba sintiendo. Pero ¿no sería por el clima o la emoción?

"En el nombre de Jesús, levántate", ordenó el Sacerdote. No pensé en mí, sino en Jesús, para quien nada es imposible. Me levanté por mí misma y, por primera vez en mi vida, dí unos cuantos pasos. Sin la ayuda de nadie, me fui acercando al altar. Mis amigos lloraban, otros reían, todos se abrazaban, otros me besaban. Aquello parecía un manicomio.

Yo me sentía ligerita, como si mi cuerpo no pesara. Sin la ayuda de nadie subí los escalones donde se encontraba el altar y glorifiqué a Jesús por lo que había hecho en mí. Alessandra lloraba, otros no podían creerlo. Un compañero se quedó mudo por cinco horas, por la impresión de verme caminando.

... la silla de ruedas está vacía. Ya no necesito más las muletas. Ahora llevo una vida normal. Trabajo en la oficina del Padre Miguel. Todos los días subo y bajo escaleras. Dios ha sido grande conmigo. Mi agresividad es cuento del pasado. Sólo hay una cosa que me irrita: la incredulidad de quienes no saben el vacío de mi vida anterior. Sin embargo, yo camino, vivo y amo la vida. He puesto mi salud al servicio de los demás y he descubierto que mi vida es útil y otros la necesitan.

Este testimonio tan bello está cargado de muchas enseñanzas: Giovanna fue evangelizada con amor por una comunidad que se comprometió con ella. Antes de ser sanada fue liberada de sus amarguras, y al final puso su salud al servicio de los demás. Cuando el Señor sana el cuerpo, su acción se extiende a toda la persona.

Myriam Lejeun, de Lyon, Francia, muestra cómo la sanación física va acompañada de la rehabilitación completa de la persona. Jesús no ha venido a sanar parálisis, sino a paralíticos; es decir, a la persona completa:

Antes de dar mi testimonio quisiera agradecer a Jesús por habernos revelado el verdadero rostro de Dios, ese rostro que es todo amor. Quiero bendecirlo por su mirada puesta sobre cada uno de nosotros ahora y en cada instante. Yo sentí personalmente esa mirada en la campaña de evangelización en Ginebra en 1981.

Soy la tercera de 10 hermanos. Fui alimentada en la fe cristiana por el amor de mis padres, con oraciones cotidianas y continuas visitas a la iglesia.

Estaba muy feliz como estudiante de Medicina cuando una noche de guardia en el servicio de cirugía, al levantar a un paciente me fracturé un disco intervertebral, provocándome una hernia discal grave, con un síndrome raquídeo agudo, que necesitaba una urgente intervención quirúrgica. El diagnóstico fue dado por el jefe de neurocirugía, pero no sé por qué razón pospuso la intervención 48 horas, causándome un daño irreversible.

El mínimo movimiento me hacía sufrir. Sobre la cicatriz de la hernia de disco se instaló una espondilitis anquilosante, confirmada medica, radiológica y biológicamente.

Fue para mí la perspectiva de una parálisis progresiva evolutiva. Los sufrimientos me ahogaban a tal grado, que todo mi interior gritaba pidiendo ayuda. Pasé por terribles estados de ánimo: me rebelé contra el Señor, pues lo hacía culpable de mi enfermedad; contra mi familia, contra mí misma y sobre todo contra la Medicina. Ya no creía en nada en absoluto. Odiaba mi cuerpo, que no servía para nada, sino que me era fuente de sufrimiento continuo.

Mi itinerario de salvación comenzó en Estrasburgo, en una comunidad de Renovación llamada *"Pozo de Jacob"*, y gracias a la ayuda de unos hermanos acepté perdonar a la Medicina. Después de perdonar a la Medicina me reconcilié con ella y terminé mis estudios. Después viví una etapa donde realmente me sentí escuchada por el Señor cuando me arrodillaba frente a él. Luego encontré en Lyon hermanos de *"El Camino Nuevo"*, que me enseñaron a dejarme amar por el Señor. Y sobre todo, aprendí lo que es el perdón.

Mis sufrimientos habían creado una caricatura de un Dios justiciero, terrible y castigador. Le pedí perdón por ello y abandoné mi rebeldía contra El y mi familia, pero tuve que caminar mucho para perdonarme a mí misma. Todas esas etapas de perdón y reconciliación fueron determinantes en mi vida. El perdón revitaliza de manera eficaz.

Aunque los dolores persistían y se agravaban, me había acostumbrado a sufrir.

En esa época tenía dolores tan intensos que me pasaba las noches caminando, porque era el único modo de calmar las crisis de dolor. Visité a todos los neurocirujanos conocidos en Francia, sin resultado. Durante un retiro de la comunidad *Camino Nuevo,* una hermana me dijo: "¿Le has pedido al Señor la sanación de tu espalda?".

Me asombró la pregunta. Se suponía que yo vivía un camino de sanación interior, y le contesté muy segura: "Para mí no, para mis hermanos sí".

Esa pregunta fue la que me llevó a la Campaña de Evangelización en Ginebra, con Emiliano Tardif. Fui acompañada de mis padres acostada en el auto, pues mis dolores eran tan fuertes que no podía permanecer sentada. En un momento comencé a llorar, clamando a mi Dios que tuviera misericordia de mí. Ese drama se volvió una gracia, pues me hice pobre ante él, sintiéndome obligada a pedirle socorro. Me postré ante el Señor con las manos vacías y abiertas, y él me reveló el verdadero rostro de su amor misericordioso.

Durante la oración, el Padre Tardif dijo: "Una persona que sufre mucho de la columna vertebral y que está inválida, está sintiendo un calor desde su columna hasta la cabeza". Yo escuché al Padre y empecé a rezar por el hermano que acababa de recibir esta gracia. Luego pensé maravillada: "Pero, Myriam, tú estás sintiendo la misma cosa".

Efectivamente, una onda de calor me atravesaba la columna y me cubría la cabeza. ¡Era maravilloso! Sabía que el Señor me estaba tocando y me quedé con esta gracia interior. Hubo aún más de parte de Dios: a mi lado una joven que no conocía me apretó la mano y dijo: "Esta noche el Señor te ha tocado, estoy segura". Esto era la confirmación de que el Señor me estaba curando.

Regresamos a casa, pero esta vez iba sentada en el auto. Tenía interiormenete la absoluta convicción de que el Señor me quería devolver la salud para poder cumplir mi misión.

La sanación fue progresiva, 6 a 8 meses. Poco a poco desaparecieron los dolores; pasé dos noches sin sufrir, luego una semana y por último el dolor venía sólo esporádicamente, permitiéndome dormir noches enteras.

Era la respuesta a ese llamado que yo le había hecho: "Señor, si me necesitas como médico y si tú lo quieres, devuélveme un cuerpo sano". ¡El Señor me había curado!

Así, ya curada del cuerpo, siguió el camino interior. Cuando se percibe la mirada del Señor, cuando se acepta su amor en nuestra vida, viene la curación del cuerpo, del alma y del espíritu, para que a nuestra vez podamos ser Palabra del Señor, alegría y luz suya.

Después de haber tenido gran rechazo hacia la Medicina, ahora soy feliz como médico. Yo quería ser una doctora cristiana; después de esta curación de mi cuerpo y de mi alma, soy una cristiana doctora. Allí está la diferencia.

En mi profesión tengo la gracia de palpar su misericordia, de trasmitir su mirada de amor y su vida que recibo todos los días, y me gusta citar esta frase: "El médico atiende, Jesús cura y devuelve la vida".

Jesús me curó completamente, porque me perdonó todo ese período de pecado y tinieblas que había vivido. Me devolvió la luz interior, me capacitó para reflejar luz de vida.

Me devolvió mi identidad de hija de Dios, latente desde mi bautizo.

¡Que el Señor sea bendito por su proyecto de vida sobre cada uno de nosotros!

Si Jesús fue capaz de sanar a aquel paralítico para demostrar que el Hijo del hombre tiene poder para perdonar los pecados, actualmente sanando paralíticos nos vuelve a enseñar lo mismo: él es el Mesías que habría de venir.

La parálisis es reflejo de la muerte en la que quedamos a expensas del pecado. Por eso Jesús muchas veces levantó paralíticos y rehabilitó hombres que tenían un miembro paralizado. De esa manera manifestaba su poder para perdonar el pecado.

Una sanación tiene beneficios no sólo para el enfermo, sino para su comunidad entera, como lo muestra el siguiente testimonio, narrado por el hermano del sanado:

José Ramón Rosario Sánchez nació en San Víctor, municipio de Moca, el 2 de enero de 1949. Desde su nacimiento, tuvo profundos problemas de salud. Siempre se necesitó de una atención clínica permanente para salvaguardar su integridad. Los primeros problemas detectados por los médicos fueron de índole diabética.

Los galenos sostuvieron por largo tiempo que el niño tenía insuficiencia de insulina, conllevando ello a que se le sometiera a una rigurosa dieta, que no tardó en dejar su secuela de anemia en su delicado organismo. El problema fue tal, que se precisó internarlo en el entonces Hospital Angelita de la ciudad capital. Infructuosos fueron los esfuerzos médicos. Los efectos de la anemia cada día consumían el cuerpo del niño.

Con el tiempo fue necesario replantear el cuadro clínico, pues su diabetes presentaba rasgos que no le son comunes. Los médicos se entregaron a un estudio más detenido del caso. Mientras tanto, el cuerpo de José sufría los flagelos del dolor.

Al fin se arribó a una conclusión: José estaba padeciendo anemia aplástica. Sus glóbulos rojos tenían una estructura anormal. Las crisis se sucedían, produciéndole dolores indescriptibles. Los médicos sólo suministraban paliativos al problema, pues se estaba en presencia de un mal hasta la fecha incurable.

A los 22 años José fue internado en el Hospital Salvador B. Gautier, de la ciudad de Santo Domingo (República Dominicana). Allí duró un año y tres meses tratando de recuperar la facultad de caminar, perdida a consecuencia del desarrollo que la enfermedad había alcanzado en su organismo.

El Dr. González Cano, especialista en anemia aplástica, afirmó que era imposible que José volviese a caminar, en razón de que la médula espinal se hallaba muy afectada. Caminar le provocaría irremisiblemente un derrame cerebral, refirió el especialista a los parientes del paciente.

El Doctor aconsejó a los padres del enfermo que lo regresasen a su casa, para tratar de sobrellevar esa vida de inválido. Para entonces José ya llevaba recluido cuatro años en cama, sin poder caminar .

A la familia nos pareció todo perdido, y nos suminos en un mundo de angustias inconfesables.

Mas siempre ha habido entre nosotros una búsqueda de soluciones a nuestros problemas mayores, a través de invocaciones al Ser Supremo. Todos juntos suplicamos por su recuperación, aunque ésta nos pareciera cada día más lejana.

Así pasaron tres años más, pero el 17 de junio de 1975 se convirtió en un día memorable para nuestra comunidad. En la mañana de ese día sorpresivamente llegó un grupo de fieles cristianas, miembros del floreciente Movimiento Carismático, acompañadas por el Reverendo Emiliano Tardif, cura canadiense.

El Reverendo, una vez en la casa y después de haber hablado con José, oró por él invocando al Señor para que le otorgara su sanación. Instantes después le ordenó a mi hermano que se levantara de la silla en que se encontraba sentado desde hacía más de cuatro años. José se mostró extrañado. ¿Cómo era posible que caminara, si el especialista le había dicho que no volvería a hacerlo jamás?

Cumplió el mandato del Padre y dio varios pasos. El sudor cubrió su cuerpo. El asombro cundió en el ánimo de todos: José estaba caminando. La familia se resistía a aceptar esta realidad y nuestra casa rebosó de gente. Todo mundo estaba asombrado; muchos lloraban de alegría, otros aplaudían y desorbitaban sus ojos por el asombro.

En lo que respecta a mí, confieso que me sentí aturdido al ver a mi hermano caminar. Me parecía un sueño. Hasta el tercer día acepté la realidad de que mi hermano había sanado y que también habían desaparecido de su cuerpo los permanentes dolores que durante años lo habían confinado a la inmovilidad.

José se reintegró a la vida diaria de manera normal; viajó a diversas ciudades del país como el más saludable de los hombres. Mi hermano se dedicó a dar testimonio de su sanación en diversos lugares, y las personas constataban a través suyo los efectos del poder de Dios sobre la enfermedad de un hombre condenado por la ciencia médica...

La fe de los moradores de Moca creció después de conocer este milagro. Ya nadie duda que Dios tiene poder en este mundo. Todavía vive en la memoria lo que le pasó a José. Hoy, ocho años después de ese acontecimiento milagroso, se me conoce como "el hermano de José, el del milagro", más que como abogado, profesión que ejerzo desde hace varios años.

Lic. Pedro Rosario Sánchez.

Así como en los tiempos evangélicos un hombre fue transportado por sus amigos en una camilla hasta donde se encontraba Jesús, eso mismo le sucedió a Fernande Gobert en Cordes el día de su sanación. Las circunstancias son parecidas, pero Jesús es el mismo:

Yo era maestra y llevaba una vida presionada por los alumnos y los estudios. Había escuchado el llamado del Señor a vivir únicamente para Él y debía entrar al convento Benedictino. Pero en julio de 1975, a causa de una ciática hiperálgica, causada por una hernia discal, fui hospitalizada y operada.

Luego de mi rehabilitación entré al Monasterio, pero a causa de los dolores contínuos y varias operaciones, tuve que abandonarlo. Tomé un trabajo muy sencillo.

A pesar del dolor constante y lo difícil que resultaba desplazarme, me sentía feliz de siquiera poder moverme. No sabía que me esperaba lo peor y lo más maravilloso, al mismo tiempo.

Nuevas operaciones me postraron en cama con intensos dolores permanentes. Ya no podía ni sentarme, y sólo caminaba unos cuantos pasos con la ayuda de un bastón. Médicamente hablando, no había nada qué hacer: Yo estaba condenada a la cama y al sufrimiento. Pasaría el resto de mi vida postrada en un lecho de dolor.

Sufrí seis intervenciones quirúrgicas sin que se aminorara el sufrimiento; todo lo contrario. Incluso, al final me inyectaron morfina hasta dos veces al día para poder soportar los intensos dolores. En medio de esta agonía venían los hermanos del grupo de oración, para ofrecerme su compañía, su ánimo, su amistad y su oración.

El 16 de septiembre de 1982 una hermana del grupo de oración me propuso la loca idea de ir hasta Cordes porque, dijo, "el Padre Tardif vendrá a celebrar la Eucaristía".

Gracias a Dios no pensé en los sufrimientos y dolores que me iba a costar. Acepté y salimos en una ambulancia. Durante mi oración el Señor me dio la lectura de la curación de Ezequías, pero no le dí mayor importancia.

Comenzó la celebración. La homilía del Padre Tardif se centró en la presencia real de Jesús en la Eucaristía; presencia activa y vivificante. Ofreció distintos testimonios de curaciones llevadas a cabo después que el enfermo recibía la Eucaristía o durante la procesión del Santísimo Sacramento.

Cuando llegó el momento de la Comunión, dos hermanos me llevaron en la camilla desde el fondo de la iglesia hasta el altar. Yo pensaba en aquellos cuatro amigos que transportaron al paralítico a la casa donde Jesús se encontraba.

El Padre Tardif se arrodilló para darme la Eucaristía. Luego pidió a Jesús presente en la Hostia que me curara. Al final, puso el copón sobre mi cabeza y dijo: "Señor, un día una mujer tocó tu vestido y quedó curada. Sabemos que tú estás presente en la Hostia Santa. Toca a esta hija tuya y sánala como sanaste a la mujer hemorroísa".

En cuanto terminó, me dijo que tenía que hacer un acto de fe, levantándome y comenzar a caminar. Esto fue para mí el *"levántate y anda"* del Evangelio que Jesús me dirigía. Tomé sus manos y me levanté de la camilla. Con su ayuda comencé a caminar.

Luego me solté y dí cinco pasos sola. No pude más. El Padre añadió: "El Señor te ha sanado. Mañana camina diez pasos, aunque te duela. Poco a poco irás experimentando tu sanación..."

Así pasó el tiempo, sin que yo supiera más de Fernande Gobert. Pero a los dos años recibí una tarjeta postal de Lourdes, con el siguiente mensaje:

5 de septiembre de 1984.

Querido Padre Tardif: El 16 de septiembre de 1982 en Cordes, en la comunidad de León de Judá, en su presencia, el Señor me levantó de mi camilla por el poder de su presencia en la Eucaristía.

Hoy he venido a compartir lo que he vivido: en acción de gracias, con un grupo de amigos hemos venido en bicicleta hasta Lourdes: ¡287.5 kilómetros!

Qué grande es Dios. ¡Aleluya!

Fernande Gobert

Fernande ya se casó y ha vuelto a sus clases de matemáticas. No es religiosa, pero está dedicada a cantar las alabanzas del Señor. Quien la ve no reconoce a aquella mujer flagelada por el dolor, sentada en una silla de ruedas, pero todos reconocen que el poder de Dios es maravilloso.

Isaías vislumbra los tiempos mesiánicos describiendo que *"el cojo saltará como ciervo"*.

Eso precisamente fue lo que sucedió en la Isla Mauricio en septiembre de 1985. Durante la oración por los enfermos el Señor levantó e hizo andar a un hombre de 60 años, que apenas si podía caminar con bastón.

Pero una vez que se sanó y dio su testimonio delante de las 10,000 personas allí reunidas comenzó a correr, otro también dejó su bastón y uno más caminaba por otro lado.

Era algo casi exagerado de tantos cojos caminando por todos los pasillos, unos con las muletas en alto, otros sin bastón.

Nuestro Dios es generoso. En las bodas de Caná hacía falta un poco de vino y él convirtió 600 litros de agua en buen vino. Hizo tanto que hasta se podría celebrar otra boda.

C.- Los sordos oyen

Cuando el Señor abre los oídos a un sordo, significa que Jesús abre la comunicación que había sido rota por el pecado. En Jesús se vencen todos los obstáculos de la incomunicación.

Abrir los oídos de los sordos es un signo de la liberación que el Señor hace del aislamiento, del individualismo y la incomunicación. Jesús viene a restablecer las relaciones rotas, capacitándonos a una comunicación profunda. Nos hace sensibles para escuchar la Palabra de Dios y al mismo tiempo nos capacita para escuchar las clamores de nuestros hermanos:

> En el mes de agosto de 1986, predicaba en el Zaire. El segundo día, después de la oración de sanación, una jovencita, con rostro asustado, lanzaba gritos en medio de una multitud de 26,000 personas reunidas en el estadio de la ciudad de Mbandaka.
>
> Era una sordo-muda de nacimiento que con los cantos y alabanzas se habían sorprendido y gritaba tapándose sus oídos.
>
> Al día siguiente, en absoluta paz y con una gran sonrisa, delante de la multitud, ella dio su testimonio de sanación pronunciando las palabras que había aprendido durante esa mañana: "Gracias, Dios, Jesús, amén, aleluya".
>
> Yo le pregunté su edad, pero todavía no sabía responder. Sin embargo, su hermana que estaba al lado respondió: "Catorce años". Y la que antes fuera sordomuda repitió: "Catorce años".

Fue un testimonio muy hermoso que sacudió a toda la multitud, al ver el poder sanador de Jesús. Una vez más vimos que las profecías fueron escritas para nosotros; se cumplió literalmente lo que profetizó Isaías: *"Entonces la lengua del mudo lanzará gritos de alegría":* Is 35,6

En esta línea, la curación más asombrosa es la de Celia Covarrubias. Tan increíble, que la primera vez que la compartí a mis compañeros todos se quedaron en silencio y nadie tuvo ningún comentario. Después, se acercó uno y me dijo muy serio: "Tú no deberías repetir esa historia, pues no sólo nadie te cree, sino que das mala impresión al hablar de cosas ilógicas y todo mundo se va a reír de ti..."

Sin embargo, un año después de su curación, Celia, con reportes médicos en las manos, dijo lo siguiente en una Plaza de Toros, en la Ciudad de México, delante de 15,000 personas.

Hace veinte años comenzé a padecer un colestiatoma en el oído izquierdo. La enfermedad se agravó con una infección. En 1976 me hicieron una trepanación vaciándome el oído interno, por lo cual perdí completamente la audición de ese lado.

Debido al progreso de la infección, me volvieron a hacer otra trepanación, en la que me rasparon además los huesos internos. Para entonces ya no me interesaba escuchar, puesto que no tenía órganos auditivos. Lo único que procuraba era eliminar la infección que seguía avanzando.

En enero de 1986 empecé un Curso de Vida en el Espíritu de la Renovación. El evangelizador me dijo que Dios había permitido todas las tristezas de mi vida para glorificar su nombre. Yo le contesté que mejor prefería glorificarlo con alegrías. Mi vida había sido muy difícil, con problemas de todo tipo.

En febrero de ese mismo año fui al Congreso Carismático de Querétaro (México) para pedir la sanación de mi corazón, que estaba tan herido por los sufrimientos y las incomprensiones.

Cuando el Padre Tardif hizo la oración de sanación, yo intercedí por la salvación de mis hijos, hermanos y amigos.

Ni me acordé siquiera de pedir por mi enfermedad, pues estaba resignada a no volver a oír. Yo sabía que Dios hacía imposibles, pero no se lo pedí porque ya me había acostumbrado a escuchar con un solo oído. Simplemente le dije: "Señor, aquí estoy. Tú sabes lo que me falta y lo que me sobra. Me pongo en tus manos", sin pedir nada en concreto.

Entonces el Padre dijo por el micrófono que una mujer de treinta y ocho años se estaba sanando del oído izquierdo. En ese momento sentí un gran calor y escuché un ruido muy fuerte. Me tapé mi oído derecho. Para mi sorpresa, escuchaba con mi oído izquierdo como si tuviera una bocina del tamaño de un ropero junto a mí. Le pregunté a mi vecina si habían subido el volumen, pero ella me dijo que no. ¿El Señor me había sanado?

Yo no podía creerlo, puesto que en ningún momento había pedido la sanación. Lo cierto es que contra toda posibilidad médica, yo estaba escuchando con mi oído izquierdo.

El Padre Tardif se regresó a Canadá y yo me fui a Irapuato, pero Jesús se vino conmigo a mi casa. El Señor me ha rodeado de personas que me han enseñado muchas cosas y que viven muy cerca de él. Me ha encaminado por su camino y ahora soy otra persona totalmente nueva.

Toda esa noche me la pasé llorando, dándole gracias a Dios y alabándolo. Gozaba con todos los ruidos. Me parecía todo tan nítido. Pero lo más importante era la alegría que me inundaba, y ciertamente no era sólo la felicidad por haber sido curada, sino de estar en paz con Dios y conmigo misma.

A partir de ese momento cambió toda mi vida. El Señor me transformó de una manera maravillosa. Yo me sentía sola y deprimida. Sabía que Dios existía, pero lo consideraba muy lejano a mis problemas. Mi vida estaba llena de penas. Llegaba a sentir que mi casa era un gran sandwich donde el techo se juntaba con el piso y yo quedaba prensada enmedio.

A veces me parecía que ya no podía con eso. Sabía que era templo del Espíritu Santo, pero como no lo experimentaba, no lo podía creer.

Quien conoce realmente al Señor, tiene que seguirlo. No se puede resistir. Yo no podía dar marcha atrás. Cuando una persona tiene sus órganos y Dios la cura en la oración, estamos delante de un milagro. Pero si la persona no tiene ningún órgano auditivo y vuelve a escuchar, entonces no se trata sólo de un milagro, sino de un llamado. Dios le está dando un nuevo derrotero a su vida. Así lo entendí.

Cuando Dios llama no se puede resistir argumentando: "No puedo, no sé".

Antes yo vivía muy presionada por problemas económicos. Pensaba que el día que no tejiera, no tendría para comer. Ahora paso hasta quince días sin tejer, porque mucha gente viene a mi casa para pedirme que ore por ellos, y nunca he tenido ya esa presión económica.

Cuando la gente escucha lo que Dios hizo en mi vida, hay corazones duros que se convierten al Señor. Algunos lloran y otros se sienten profundamente tocados por El.

Incluso han venido sacerdotes y religiosas que sufren mucho por su falta de fe. Yo les digo que ellos no tienen la culpa; que su problema es que no han experimentado el amor de Jesús y es por eso que no lo conocen.

Antes me preguntaba qué impulsaba a los evangelizadores a hablar frente a los micrófonos. y cómo se atrevían a predicar delante de tanta gente. Ahora que he recibido esta experiencia del amor y el poder de Dios, lo entiendo perfectamente: no se puede callar lo que uno ha vivido.

En una ocasión un sacerdote me atacó, porque pensaba que nunca estuve enferma del oído, y yo mentía. Pero le respondí: "Padre, para Dios no hay nada imposible".

Han pasado dos años de mi curación. Los médicos me han vuelto a hacer exámenes de audición y no se explican cómo puedo escuchar. Ahora mi problema no es escuchar, sino cómo proclamar a todo el mundo que tenemos un Dios que es Padre, que si nos ha dado a su Hijo único, ¿cómo no nos dará todo lo demás...?

En esta sanación Dios nos enseña que sus planes son mucho más amplios que los nuestros. A Celia no sólo se le abrió el oído izquierdo, sino que su vida cambió y ahora es testigo de que existen una nueva vida y una misión para los que creen en el poder ilimitado de Jesús. Si alguien marca el número telefónico [52] (462) 63 319, es probable que responda Celia y coloque el auricular en su oído izquierdo.

En el mes de octubre del 88 predicaba en Costa de Marfil. Tuvimos ministerio de sanación con 4,000 personas y una palabra de conocimiento que recibí era que se estaban sanando dos sordos en la asamblea.

Pedí a los dos sordos que acababan de sanarse, que se identificaran y dieran testimonio. Se levantó un hombre de 30 años de edad muy emocionado y dijo que tenía mucho tiempo sin oír, pero que se le acababa de destapar el oído y ya podía escuchar. Después, pregunté quién era el otro. Insistí y nadie contestó. Entonces dije: "Sigamos orando".

Al otro día tuvimos la reunión del clero de la Diócesis. Un sacerdote levantó la mano y dijo: "Padre, anoche usted ha hecho algo que es antievangélico: Cuando Jesús sanaba un enfermo, prohibía la publicación del milagro, mientras que usted anoche le pedía a los sanados proclamarlo a todo el mundo".

Yo le respondí: "Pero, Padre, eso era el *secreto mesiánico.* al comienzo de su vida pública, Jesús no quería descubrir abruptamente su identidad mesiánica, y por eso decía: no lo digan a nadie. Pero el día de su ascención ordenó que anunciáramos el Evangelio hasta los confines de la tierra.

Ya se reveló el *secreto mesiánico*. Ahora no sólo sabemos, sino que debemos anunciar hasta los confines de la tierra que Jesús es el Mesías salvador. La misión de la Iglesia es precisamente esa. Si no, ¿qué razón tiene?".

En ese momento un sacerdote levantó la mano. Yo pensé que era otra objeción, pero explicó:

"Padre, anoche, cuando usted anunció que se sanaban dos sordos, nada más uno fue a dar testimonio, el otro no apareció, porque era yo. Me di cuenta de que oía bien, pero no me atreví a levantarme porque pensé: vamos a esperar si es verdad... Pero esta mañana cuando desperté, oí el canto de los pájaros por primera vez en tres años. Esta tarde pude confesar durante más de una hora escuchando perfectamente sin aparato auditivo".

Cuando él dio su testimonio, todos aplaudían. Entonces yo pregunté al primer sacerdote: "Padre, ¿no cree usted que glorifica más a Dios que proclamemos sus maravillas?". Y allí se acabó la discusión.

Cada sanación es una oportunidad para mostrar que Jesús es el Mesías. Cada testimonio es un grito evangelizador proclamando que Jesús es el Salvador del mundo.

D.- Los leprosos quedan limpios

Jesús es siempre el mismo ayer, hoy y siempre. Lo que hizo hace 2000 años lo repite hoy porque él tiene el mismo poder hoy como ayer.

Después de predicar un retiro a sacerdotes en Sagmelina, Camerún, en Africa, me invitaron a orar en una leprosería del gobierno donde había más de 300 enfermos. Llegamos ante esa multitud doliente. Era muy impresionante encontrarse ante ese cuadro del dolor: el gusano de la lepra carcomiendo la carne humana. Algunos, con los miembros amputados para seguir viviendo; otros, ciegos a causa de su enfermedad; el olor de la carne podrida... Después de hablarles del poder de la oración, oramos pidiendo al Señor que sanara a estos enfermos.

Al poco tiempo de regresar a casa recibí una carta de una religiosa enfermera en la leprosería, que me anunciaba que el Señor había sanado a 10 leprosos. ¡Diez leprosos que han podido reincorporarse a la vida normal de su pueblo y están dando testimonio!

Yo preguntaba al Señor: "¿Por qué fueron diez los sanados y no nueve ni once?". Y sentí que en mi corazón él me respondió: "Para que sepan que el que sana hoy, es el mismo que sanó a los diez del Evangelio".

Yo creo que la lepra de nuestro siglo es el cáncer. Palabra que se ha convertido en sinónimo de condenado a muerte. Por eso voy a contar cómo Jesús cura de la lepra del cáncer.

Ante la enfermedad y el mal estamos frente a un misterio. Algunos chocan contra él y se estrellan, pero quien profundiza a la luz de la cruz vacía, lo valora. Esto fue lo que le pasó a esta señora que estuvo al borde de la muerte:

Me llamo Elena Gaspoz, soy de Evolene, Suiza, tengo 43 años, casada desde hace 21 años y tengo tres hijos.

Sufría de un cáncer generalizado, que empezó en los huesos en 1975. Me hicieron un transplante óseo y tres semanas más tarde el médico nos anunció el resultado: tumor maligno. Cáncer en los huesos.

"No quiero morir, respondí, tengo tres hijos qué educar, uno de ellos con una enfermedad grave, y mi esposo se acaba de accidentar". El médico, pensativo, me contestó: "Mientras no llegue a la columna, se puede hacer algo". Esto me afectó en todos los sentidos.

Desafortunadamente, la enfermedad empeoró y pronto llegó a la columna. Se hablaba de hernia de disco, pero supe por otro médico que no quería operar por el desgaste de huesos y que la enfermedad seguía fatal.

Pasó el tiempo con altas y bajas, hasta que un día un intenso dolor de espalda fue seguido de parálisis de las dos piernas. Hospitalizada tres días, me examinaron exhaustivamente. Me dieron fuertes analgésicos y pasé meses enteros en la cama sin siquiera mover la cabeza.

Mi marido fue maravilloso, nunca dejó de alentarme y de ayudarme a orar. Esa enfermedad nos unió más y nos hizo más sensibles a las necesidades uno del otro. Cuando uno está en el umbral de la muerte, se da cuenta de lo importante que es el amor, y no se puede desaprovechar ninguna oportunidad.

Mi curación empezó el sábado 1º de junio, en la reunión con el Padre Tardif en Síon. Cuando Dios le reveló mi caso, no me dí cuenta inmediatamente de que se trataba de mí. No había yo pedido mi sanación; había venido a ese encuentro para rezar y encargar a mi marido y a mis hijos al Señor, porque los sufrimientos insoportables que sentía me hacían pensar que mi vida llegaba a su fin.

Sentí un intenso calor que invadió mi cuerpo; mis hijas me decían que estaba toda sonrojada. Después de la reunión, noté que no me dolía la espalda ni tenía que buscar el equilibrio para caminar. Unos amigos acompañantes de mi hijo médico dijeron: "Qué caliente estás, Elena". Les contesté que era sin duda el calor del Señor...

Llegando a casa, le hice notar a mi esposo que podía girar la cabeza, y en la noche me pude voltear en la cama sin dificultad, lo que no había hecho desde hacía años. Era como un sueño. Varias veces prendí la luz para observarme y comprendí que el Espíritu Santo me había sanado.

Por la mañana, al despertar, era una mujer nueva: todos mis dolores habían desaparecido y, contrariamente a la costumbre, mi boca no estaba llena de sangre.

Me levanté sin ayuda, sintiéndome pequeña y ligera como una pluma; corrí a despertar a toda la familia gritando: "¡El Señor me sanó!", llorando y cantando a la vez. Imagínense mi alegría, pues estaba enferma desde hacía 10 años.

Las siguientes tres semanas las viví en una alegría extraordinaria. Ahora puedo afirmar que esos largos años de prueba hicieron crecer la fe y el amor en nuestro hogar. Hoy vivimos de manera diferente, no sólo gracias a la sanación, sino también a la enfermedad que amenazaba acabar con mi vida.

Quisiera decir a los enfermos que si su familia, amigos o médicos los abandonan, el Señor se queda con ellos.

¡Gracias, Señor! ¡Eres maravilloso! Ya no se puede dudar de tu resurrección. Cada día nos pruebas que tú estás vivo entre nosotros, ¡Aleluya!

El siguiente testimonio nos muestra cómo, cuando el Señor hace una sanación, su acción salvífica va mucho más profundo y comienza una reacción en la persona, que la va a llevar a la sanación de la más grave de todas las enfermedades: el pecado.

El 5 de julio de 1981 estaba predicando un retiro en l'Eglise des Reformés, en Marsella, Francia. Llevaron a la Misa de sanación a un joven belga de 34 años de edad, que sufría de un cáncer muy avanzado en el pie derecho, donde tenía dos llagas.

Dos médicos de Marsella, después de siete meses de tratamiento, habían decidido cortarle la pierna. El no quería, y se resistía de todas las formas posibles.

Cuando F. G. supo que había una Misa por los enfermos, no pensó en su vida de pecado y decidió asistir. Durante la oración por los enfermos, sintió en el pie derecho un calor muy intenso, como si le acercaran un fuego.

Al finalizar la Eucaristía, regresó a su casa sintiéndose diferente. Algo había sucedido esa tarde, aunque él mismo no sabía explicar de qué se trataba.

Por primera vez en siete meses, se acostó sin tomar pastillas para conciliar el sueño, y durmió de maravilla. Al otro día estaba muy feliz y asombrado. Entonces le dijo al Padre jesuita con quien se había alojado: "¡Qué extraño, no siento dolor en el pie! ¡Vamos a ver cómo está esto!".

Juntos quitaron la venda que envolvía el pie derecho, y descubrieron admirados que estaba perfectamente sano y que una piel nueva cubría las llagas.

Era tan perfecta la curación, que los tejidos se hallaban renovados y no se veía la distinción entre una piel y otra. Brincando de alegría, el joven fue a la clínica a enseñar su pie a los médicos que lo trataban.

Ellos le preguntaron con mucha curiosidad qué era lo que había sucedido, ya que la curación era tan perfecta y en tan poco tiempo, que no les cabía en la cabeza ninguna razón.

Entonces el joven les dijo: "Ayer me curó el Señor durante la Eucaristía". Ellos, ateos, no sabían quién era el Señor, ni menos lo que era la Eucaristía. Le respondieron: "A esto hay que buscarle una explicación...".

Cuando F.G. me llamó por teléfono para contarme todo y me repitió que los médicos buscaban una explicación, le contesté: "Diles que la explicación la tenemos nosotros: La explicación es que Jesús está realmente vivo y presente en la Eucaristía. Como Jesús está vivo, él puede hacer eso y mucho más, porque es el mismo que resucitó a Lázaro y el que sanó a tantos cojos y tullidos, a tantos ciegos y sordos. ¡Jesús es la salud de los enfermos!".

Sin embargo, la curación más importante no fue esa, sino el cáncer del corazón que se llama pecado. F.G. había vivido una vida pecaminosa. El Señor le dio fuerza para renunciar a todo esto y emprender un camino nuevo. Al poco tiempo entró al seminario. Como el Señor le había sanado durante la Eucaristía, él quería acercarse lo más profundamente a dicho misterio y poder un día celebrarlo.

Años después que regresé a Francia, lo encontré ordenado sacerdote, en un convento de vida contemplativa, celebrando el misterio de nuestra fe, en el que anuciamos la muerte del Señor y proclamamos su resurrección.

Jesús está vivo y operante en el pan consagrado y el vino. Si tuviéramos más fe y lo dejáramos actuar con todo su poder, no harían falta tantos argumentos teológicos para afirmar su presencia real en la Eucaristía. Bastaría dejarlo actuar y él mismo se encargaría de probar su presencia real en la Hostia consagrada, con signos y milagros. Entonces nuestras celebraciones eucarísticas se transformarían en celebraciones prodigiosas.

Por último, aunque un poco largo, don Pedro Martínez, del norte de México nos cuenta de manera bella no sólo su sanación, sino su transformación:

Querido Padre Emiliano:

Escribir a mis amigos es uno de mis pasatiempos más interesantes , pero hoy me encuentro en la disyuntiva de cómo voy a iniciar adecuadamente la narración del testimonio que se me ha pedido hacer.

En aquel entonces era un individuo que viajaba mucho, y dada mi fortaleza física, no hubiera poder humano que me convenciera para dedicar algo más de tiempo a mi familia.

Según mi modo de pensar (como el de muchas personas) mis pecados eran leves; abrigaba la idea de que no matar, no robar y portarse "justo" con sus semejantes, era estar bien con Dios. Por lo tanto, me consideraba un buen cristiano. No obstante, no comulgaba desde mi matrimonio, que databa de 30 largos años.

Hace unos tres años, a causa de un accidente de trabajo empecé a tener dificultades con mi pierna izquierda, así como con mi brazo derecho, que casi no podía sostener el peso de mi portafolios.

A todo lo largo de mi columna vertebral se iniciaron terribles e intensos dolores que no soportaba, aunque me suministraban sedantes muy fuertes. Llegó el día en que me tuvieron que inyectar relajantes para contrarrestar los desmayos que a menudo se repetían.

Visitamos algunos centros médicos en México y Estados Unidos. Unos decían que eran los riñones; otros, que mi peso. Pero todos coincidieron, en que me operara en Houston.

Estuve internado para dos operaciones pues estaba perdiendo sensibilidad en mis extremidades inferiores y aparecieron crueles dolores.

Desde entonces empecé a depender del auxilio de mis familiares, en especial de mi esposa, que me dedicaba todo su tiempo.

Fue tan marcado mi mal estado físico, que no me aceptaron como viajero en la línea aérea por lo que se tuvo que fletar una avioneta-ambulancia.

El neurocirujano que me había operado las veces anteriores comentó que la intervención sería muy delicada y él la consideraba peligrosa, por lo que en forma muy fría una noche antes dijo: "Don Pedro, ¿usted cree en Dios? Pues encomiéndese a El, porque vamos a necesitar de toda su ayuda".

La intervención no tuvo éxito. Me encontraba peor que antes, sin poder moverme e insensible desde el pecho hasta los pies.

A partir de entonces noté que hubo un acercamiento muy palpable entre mis familiares, así como de mis amigos, pues al abrirme de nuevo la columna vertebral, habían encontrado que estaba completamente invadido de cáncer en mis huesos y en la próstata, y que clínicamente no era posible hacer algo por mi. Los médicos me daban un límite de vida de tres meses.

Pasaron algunas semanas y comencé a notar que estaba perdiendo peso en forma alarmante. Para calmarme los dolores me mantenían inconsciente la mayor parte del tiempo. Así que opté por pedirle a mi esposa que tan luego finalizara el plan de radiaciones, nos regresáramos a casa, pues me sentía muy mal.

Al llegar por segunda ocasión al hogar, hubo algunos familiares y amigos que no quisieron volver a visitarme, pues en lugar de ir a reanimarme, ellos salían consternados de ver aquel individuo, recio y vigoroso que habían conocido meses antes, de 105 kilos, ahora convertido en un sujeto de 55 kilos, con el agravante de estar sentenciado a muerte.

Mi esposa nunca aceptó la idea de que yo tuviera que irme de su lado de esa manera, por lo que en esa situación desesperante buscó todos los medios a su alcance.

Animado por haber superado el plazo de los tres meses de vida, fui llevado a Monterrey. El grupo de médicos dedicados a mi caso fué demasiado frío con mi esposa al decirle que no se hiciera ilusiones, que el hecho de haber rebasado el límite que me habían dado no era base suficiente para impedir que de un momento a otro me pusiera nuevamente en malas condiciones.

Durante meses estuvimos asistiendo a sesiones de radioterapia en Monterrey, y un día fuimos visitados por un grupo de oración. Después de la primera reunión sentimos la necesidad de la presencia de ese grupo.

En la tercera visita fuimos evangelizados. Se nos habló del amor de Dios como nunca antes lo había escuchado. Yo me reconocí pecador y acepté a Jesús en mi corazón como mi Salvador. Lo proclamé el Señor de toda mi vida y nos impusieron las manos para recibir una nueva efusión del Espíritu Santo.

Durante mi bautismo en el Espíritu Santo vi que se extendían hacia mí unas manos de las que brotaba una luz resplandeciente rodeada de una niebla muy espesa, y que tomaban las mías. Sentí la extraña presencia de algo tan desconcertantemente divino, que aún ahora no me es posible describirlo, pero hizo que me embargara una profunda emoción.

Unos amigos nos comentaron que usted, Padre Tardif, se presentaría en Guadalajara en noviembre. Como estábamos muy interesados por asistir, les rogamos nos consiguieran un boleto para dicha sesión. Toda nuestra casa se llenó de gozo y de esperanza. Era un júbilo contagioso en toda la familia. Preparamos la salida por vía aérea y nos trasladamos el día 22. Para este viaje, como para todo desplazamiento, necesité de una silla de ruedas.

Al llegar estábamos sorprendidos al ver miles de personas rodeando el estadio, esperando y deseando entrar. Aquello era una verdadera romería de gente anhelante cantando, siendo muchos de ellos conducidos en camillas de todo tipo; había filas de inválidos en sillas de ruedas, tullidos cargados en brazos, unos con muletas o bastones, y otros como fardos humanos eran sostenidos en las espaldas de seres sonrientes, que sin importar el peso que les ocasionaban, se les leía en su mirada el deseo de escuchar la Palabra del Señor. ¡Para los sencillos de corazón qué fácil es esperar!

Estuvimos atentos al desarrollo de todas las ceremonias, participando sin reponernos del asombro de ver 60,000 personas que bebían ávidamente de la fuente de la Palabra de Dios. Cuando le tocó a usted, Padre Tardif, orar por los enfermos, estábamos muy asombrados de las curaciones que se constataban: un hombre que caminaba levantando en alto sus muletas, aquella ciega que veía, etc.

Así transcurrió el tiempo hasta que usted anunció que solamente quedaban cinco minutos de oración. En ese instante mi esposa empezó a orar a Dios de la manera siguiente: "Señor, te doy gracias de todo corazón por habernos permitido asistir. Ya se va a terminar el tiempo fijado para la sanación de los enfermos y no he escuchado que te refieras al caso de mi marido. Pero si en esta ocasión tú no le das su salud, tu sabrás el porqué. Sólo te pido, Señor, que lo continúes sosteniendo en su fe y que si hoy no hubo oportunidad para él, no permitas que se desaliente, ni que su fe vacile".

Estaba terminando ella de orar, cuando usted comunicó que en esos momentos estaban recibiendo sanación cinco personas, dos de ellas mujeres y tres hombres. Cuando se refirió a los hombres, dijo que uno de ellos estaba siendo sanado de cáncer en los huesos; que no tuviera temor, que iba a sentir calor excesivo en todo su cuerpo y una desesperante ansiedad.

Mi mujer volteó a verme. Yo estaba bañado en sudor, sintiendo un fuego que invadía todo el cuerpo. Además, una emoción-angustia indescriptible, que expresé a través de un largo llanto.

Tenía la certeza de que usted se estaba refiriendo precisamente a mí, y así se lo comuniqué a mi mujer. A pesar de la gran emoción de esos instantes tan intensos, alcanzamos a escuchar que usted pedía que no se diera testimonio en esos momentos, sino dentro de 15 días.

Todos los que nos encontrábamos en el palco, emocionados y felices, alabábamos a Dios, por haber sido la última persona que nuestro Señor alcanzó con su sanación.

En la Eucaristía volvimos a darle gracias a Dios por todas las maravillas de las que El nos había permitido ser testigos.

El domingo 25 nos trasladamos al aeropuerto,. Mi esposa me dijo: "Acabo de ver al Padre Emiliano Tardif". Le contesté que no era posible, ya que la distancia entre nosotros y el sitio en que usted ofició e hizo la oración por sanación estaba demasiado retirado para identificarlo.

Ella se encaminó hasta donde usted se encontraba sentado, y retornó exaltada comunicándome:" Es el Padre Tardif, es el Padre Tardif", y me pidió que nos acercáramos para saludarle.

Era tanto su entusiasmo que no esperó por mí, yéndose hasta donde conversaba usted con las otras personas, y les dijo lo siguiente: "Perdonen que los interrumpa, pero me interesa confirmar si es usted el Padre Emiliano Tardif".

Usted le preguntó que si en algo le podía ayudar. Ella, presurosa le solicitó que si era posible que le regalara un minuto de su tiempo, ya que deseábamos saludarle y conocerlo personalmente, pues teníamos más de año y medio anhelando esos instantes.

Usted no esperó sentado a que yo llegara, sino que se acercó hasta donde me encontraba recargado en una pared y apoyado en mis bastones.

Empecé a relatarle en forma rápida todo mi caso, y finalmente le aseguré que sentía que era la persona a la que se había referido en el último caso de cáncer.

Usted me impuso las manos y comenzó a orar en una lengua extraña que nunca había escuchado, pero que me hacía sentir una profunda comunión con Dios.

Mi esposa lloraba de emoción. Me recomendó que no tuviera temor, que yo iba a ser sanado y dentro de 15 días debía dar mi testimonio. Luego me pidió que leyera el libro *"Jesús está vivo"*. Le contestamos que nos había sido completamente imposible conseguirlo en el estadio y en las librerías del centro, pero que un matrimonio amigo nos lo iban a enviar.

En esos precisos instantes, de entre la multitud que nos rodeaba, se extendió el brazo de un hombre portando en su mano el libro mencionado y dijo: "Aquí está, te lo regalo". Usted lo tomó y comentó: "Hijo, Dios está contigo", y me señaló la página donde se encuentra la oración por los enfermos.

A partir de ese momento no fue necesaria la silla de ruedas. Abordé el autobús que nos trasladaría al pie de la escalinata del avión, y sin necesidad de ayuda (únicamente de mis bastones) subí las escalerillas.

Diez días después, mi querido Padre Tardif, repiqueteó el teléfono: nuestro médico neurólogo de cabecera desde la ciudad de Reynosa, quería aprovechar su estancia en Monterrey para saludarme, pues ya era fecha de que me revisaran los demás especialistas.

Al otro día me habló telefónicamente el especialista en medicina nuclear, informándome que acababa de recibir una nueva cápsula de material radioactivo y que era muy conveniente que él me viera.

Nos pusimos a contar los días. La fecha en que me tendrían que examinar clínicamente coincidía con los 15 días a los que usted había hecho alusión en el estadio...

El día 7 de diciembre de 1984 me hicieron los primeros estudios de rastreo óseo en Medicina nuclear, enviando además muestras para mis análisis clínicos en el laboratorio. Por la tarde el doctor nos informó que deseaba estar seguro de los resultados de esas placas que tenía en sus manos y que las enviaría al oncólogo para que confirmara el resultado...

Al entrevistarnos con este médico por la tarde, él observaba cuidadosamente las pruebas, buscando por todos lados "los puntos calientes", en mis huesos. No encuentro nada, dijo, pero deben esperar a que el laboratorio reporte los resultados de las fosfatasas, que son el parámetro que indica el estado real de actividad en que se encuentra mi padecimiento.

Esa misma tarde teníamos también cita con el urólogo, quien después de hacerme un examen muy minucioso exclamó: "¡Don Pedrito, usted no está bien: está excelentemente bien! Ahora hay que cuidarnos".

Con ansias, esperamos a que llegara el lunes. Estábamos preparados y teníamos la seguridad de que todo iba a resultar bien. En su despacho se encontraba esperándonos el especialista en Medicina nuclear y nos participó que ya tenía los resultados, pero quería solicitar al laboratorio confirmación, pues no estaba conforme con la puntuación que habían registrado mis pruebas.

A los diez minutos sonó el teléfono. Era la respuesta del laboratorio. El escuchó con atención y colgó. Después de unos instantes de silencio simplemente nos dijo: "La Medicina es buena, pero no tanto. Usted está sano. Se acabaron las radiaciones. Que le vaya bien, don Pedro".

Fuimos a despedirnos del especialista en Medicina nuclear y nos dijo: "No crea usted que si hoy salió bien, así será siempre". Sintiendo que mi Señor estaba con nosotros, le contesté: "¿Cuánto quiere apostar a que sí ?". Riéndose me replicó: "Bueno, esa sería una de las apuestas que con más gusto perdería, pero mejor ahí la dejamos".

Padre Tardif... hace aproximadamente tres años, salí a Houston para que se me practicara aquella cirugía tan delicada. Era un día gris y frío. Momentos antes de que partiera la ambulancia, volví mi rostro para mirar mi casa por última vez, diciendo para mis adentros: "Señor, no sé si vuelva a ver estas tierras, pero las amo, y amo a todos los seres humanos que tanto me han enriquecido siempre con su amor".

Hoy, a tres años de distancia, quiero compartir con usted lo que Dios me ha regalado gracias innumerables. Me limitó físicamente casi por completo, para enseñarme y darme la humildad necesaria; para que con ella aprendiera, con modestia y sencillez, a recibir cariño, ternura y delicadezas. En esos tres años me ha regalado el Señor aumento de fe y la seguridad de que a través de él todo se alcanza.

He aprendido que la vida tiene cambios constantes, que debo adaptarme a una nueva vida; en este caso, a vivir sin prisas. Tratar al máximo de desechar las preocupaciones y mortificaciones, olvidar rencores y falsas posturas. Es otra etapa maravillosamente bella. Bendigo al Señor porque en este tiempo me ha transformado y me ha cambiado ese día gris del pasado por el radiante sol del presente.

He aprendido a no compararme con nadie. Ya no me pregunto ¿porqué a mí? Sé que existe un Dios que me ama, que todo lo pasado ha sido para mi bien.

¡Bendita enfermedad en la que Dios me ha llenado de salud!

E.- Se anuncia el Evangelio a los pobres

Al predicar por todo el mundo, recorrer las estepas y los desiertos de Africa, leprosarios y cárceles, siempre constato el mismo fenómeno: son los pobres, y casi siempre los más pobres de los pobres los que acogen con sencillez el Evangelio.

Ellos son los más abiertos a recibir, tal vez porque son los que más necesitan. Cuando he predicado en ciertos lugares de Europa es otra cosa: mentalidad cartesiana, análisis teológico, médico y psicológico.

Por otro lado, he descubierto otra pobreza: el tedio y el sinsentido de la vida de los que sobreabundan en bienes materiales. A veces éstos son más pobres que los otros, ya que les falta lo más importante: el amor. Viven en cárceles de oro. Tienen automóviles y aviones, pero no saben a dónde ir. Han probado de todo y nada les llena.

El Evangelio tiene buenas noticias para el pobre, pero al mismo tiempo nos llama a una vida más pobre, sin afanes ni codicias; libres de todo apego, para vivir en plenitud.

Conclusión

Jesús es el Mesías que habría de venir. El cumple las profecías mesiánicas y en él se realizan los signos que identifican al Mesías.

Ya no debemos esperar a otro. Las esperanzas se han cumplido.

El tiempo de encender una lámpara para descubrir al Mesías se acabó, porque ahora él resplandece y es él quien nos ilumina con su luz que no conoce ocaso.

No hay otro Nombre dado a los hombres por el cual podamos ser salvados. Jesús es el único salvador que hoy nos vuelve a repetir:

Para que sepan que el Hijo del hombre tiene poder para perdonar los pecados, "levántate y anda"

Para que sepan que yo soy la luz del mundo, "que se abran tus ojos".

Para que sepan que soy la resurrección y la vida, "sal fuera" de la tumba del pecado.

Para que sepan que yo soy el camino, "anda".

Jesús es el Mesías anunciado por los profetas, esperado por Israel y necesitado por todo el mundo. Hoy, Jesús es el Mesías.

El profeta habla igualmente de los muertos que vuelven a la vida. Yo creo que la sanación interior es una forma de resucitar ya que nos comparte la victoria de Cristo Jesús sobre la muerte.

El siguiente capítulo esta dedicado a este punto.

2

SANACION INTERIOR

Lo más hermoso que he encontrado en la Renovación Carismática es lo que se llama "la sanación interior". Así como nuestro cuerpo es atacado por diferentes enfermedades, también interiormente podemos estar enfermos de traumas, complejos, miedos, rencores y todo tipo de inseguridades. Es más, multitud de casos físicos son sólo síntomas de desajustes psicológicos, que al ser curados éstos, desaparecen aquéllos.

Si nuestros sentimientos fueron heridos, nos volvemos desconfiados. Si recordamos a alguien que nos traicionó, sentimos rabia con todo mundo. A veces hemos sido defraudados en el amor, y desde entonces nuestro corazón se cierra a toda manifestación de cariño.

Sin embargo, Jesús ha venido a curar los corazones destrozados y nos ofrece un corazón nuevo. Es maravilloso descubrir cómo el Evangelio está lleno de este tipo de sanaciones: a sus discípulos, Jesús los sanó del afán por las riquezas y la codicia(Mt 19, 16-26), del autoritarismo (Mt 19,27-30), del miedo a la muerte (Mc 4,35-41; Lc 12 4-8), del temor (Jn 14,1-6), del legalismo (Mt 12,1-8), del miedo al fracaso (Mc 4,30-32), de los odios, resentimientos y rencores (Lc 6,27-31), del orgullo (Lc 18,9-14) y del error (Jn 7,31-33).

Al centurión de su complejo de inferioridad (Mt 8,8-13), a la samaritana la curó de su odio racial (Jn 4); a Zaqueo lo liberó de la injusticia (Lc 19, 1-10); a la adúltera, del complejo de culpa (Jn 8, 1-11); a la prostituta, de la impureza (Lc 7,36-50). Y el más importante, que va a la raíz de todos los males: al paralítico lo sana de su pecado (Mc 2,1-12).

¡Cuántas veces queremos mejorar, pero no podemos! Nuestra fuerza de voluntad es vencida y nuestro carácter no tiene la capacidad para sobreponerse a las adversidades.

Otras veces creemos que son los otros los que deben cambiar y se lo exigimos, sin resultados. Por el contrario, parece que se acentúa más el problema. La causa es que todos estamos heridos y por eso no tenemos fuerzas para superar nuestras limitaciones.

Yo, personalmente, he vivido esta gracia de sanación interior:

Durante toda mi vida, había tenido problema al menor contacto con la sangre. Cuando me tocaba ir a dar los santos óleos a un moribundo que sangraba, era un gran sacrificio, porque comenzaba a sudar frío y por más esfuerzo que hacía, no llegaba a controlar esto.

Un día estaba viendo una película de guerra donde había mucha sangre. Comencé a sudar frío y bajé los ojos; ya no podía más; pues creí que me iba a desmayar. Me sentía tan mal, que tuve que salirme a media película.

Un día vino Monseñor Alfonso Uribe Jaramillo a dar un retiro. Durante la Misa oró por la sanación de las heridas de la memoria, recorriendo las distintas etapas de la vida. Mientras oraba por la sanación de las heridas de la niñez, recordé que cuando tenía cinco años, un día me enfadé con mi hermano de seis años. Yo tenía un cortapluma en la mano y se lo tiré. Le cayó en el brazo y comenzó a brotar mucha sangre. Yo me asusté mucho al ver su brazo teñido de rojo. Aunque yo me olvidé del incidente, me quedó un problema cada vez que veía sangre.

Mientras Mons. Uribe Jaramillo oraba, me vino a la mente este acontecimiento de cuando tenía cinco años y le pedí al Señor que me sanara de este recuerdo.

Después, he ido a los hospitales a ver enfermos con heridas de accidentes graves y ya no me produce esa reacción de hemofobia. Gracias a esta sanación interior estoy curado.

El Señor sanó esta herida de mi memoria, y a partir de esta sanación de los recuerdos yo entiendo mejor ahora la importancia de la sanación interior. Si a mí me producía malestar cuando veía sangre, a otros una herida emocional les produce malestar delante de la autoridad, porque tal vez su papá, su mamá o algún maestro los trató con dureza. Muchos hijos son rebeldes a causa de sus heridas emocionales. Su rebeldía es como para protegerse de toda imposición.

Sin embargo, no necesitamos tanto conocer cuál es la raíz del problema, sino la solución al mismo y ésta es una oración de curación interior que nos libere de esas causas que nos determinan.

Un niño pequeño tenía facciones tan finas que todos decían que parecía niña. Esto le causó un trauma muy grande, de tal manera que por un lado trataba de aparecer muy hombre ante los demás, pero al mismo tiempo comenzó a rechazar a todos sus compañeros que lo criticaban y se burlaban de él.

Al crecer tampoco quiso saber nada de las mujeres, pues ellan reflejaban lo que él no quería ser. Al llegar a la edad adulta su problema se agravó y cayó en el homosexualismo.

Un día, orando por su sanación interior, el Señor lo liberó de este problema, llenando su corazón del amor que había carecido. Gracias a la sanación interior y la fuerza del Señor, él pudo salir de la homosexualidad. Hoy día es una persona que lleva una vida normal.

El siguiente testimonio muestra cómo una herida emocional tiene consecuencias físicas, pero una vez sanado el interior, desaparecen los síntomas, como la muestra la Hermana Madeleine-Danièle. en su carta:

Señor, tus cinco llagas han cicatrizado mis heridas.

Jesús me ha venido a buscar en medio de mi tibieza, más aún de mi pecado

Yo me encontraba en un estado deplorable: dolores de espalda, artrosis anquilosante en las rodillas que me impedía arrodillarme para la oración, migraña dos o tres veces por semana y una hernia hiatal.

Perdí el gusto por la oración y la lectura espiritual. Espacié mucho la confesión e incluso falté muchas veces a la Eucaristía. Mi única oración era: "A pesar de todo, tú sabes que yo te quiero". En estas precisas circunstancias Jesús me reveló su rostro:

El cinco de julio de 1981 me llamó una amiga, para decirme que pasaría por mí para asistir a una oración por los enfermos.

Yo me quedé en la parte posterior de la iglesia.

Un sacerdote de simpático acento canadiense dio una meditación tan llena de fe sobre las cinco llagas de Jesús, que todavía la recuerdo.

Luego comenzó a agradecer las sanaciones que el Señor estaba haciendo. Dijo: "Hay aquí una religiosa que ha recibido una herida en su corazón, y después de muchos años no ha cicatrizado. Jesús la está sanando de esta herida y ella reencuentra una alegría que nadie le podrá arrebatar".

En ese mismo instante experimenté una profundo gozo dentro de mí. En mi memoria se representaban claramente las circunstancia que me habían lastimado.

Al final, el sacerdote dio la bendición desde el altar. Yo me arrodillé espontáneamente, y para mi sorpresa me pude levantar por mí misma. Entonces pensé si sería yo la sanada de la herida emocional, pero me entró la duda pues había unas 20 religiosas en la iglesia.

Cuando usted, Padre Tardif, entró en el automóvil, me le acerqué y le dije: "Padre, si ninguna religiosa se identifica con esa curación, es que soy yo". El se me quedó mirando en silencio y me respondió: "Así lo creo yo también".

A partir de ese momento comenzó la sanación. Un día dije: "Si Jesús que me sanó las rodillas, puede haberme sanado también los pies... Me quité las plantillas ortopédicas que usaba desde hacía cuatro años y caminé sin ningún problema.

Pero lo más asombroso fue cuando alguien me lastimó precisamente en la cicatriz de mi antigua herida. Yo rumiaba la vejación. Pero recordé la parábola de los dos deudores: Yo, que le debía a Jesús una gran sanación, ¿no sería capaz de perdonar una pequeña herida?

Perdoné y sentí una gran paz y alegría.

Regresó el fervor en la oración. Desapareció la migraña y soy una persona nueva en mi servicio al Señor.

Al ver lo que Dios ha hecho en mi vida, constato que en verdad todo concurre para bien de los que aman a Dios y reconozco de todo corazón: "Señor, cuánto tengo que agradecerle a esta persona que me hirió. Llénala de tu amor".

Hna. Madeleine-Danièle.

La sanación interior tiene dos efectos:

- Nos libra de la causa que nos afecta.
- Nos fortifica para perseverar en el bien.

Los traumas de la infancia repercuten en nuestra conducta del presente. Un alcohólico no puede dejar de tomar alcohol mientras no se sane la raíz de su problema. Seguirá bebiendo; o si no, en vez de tomar aparecerá otro síntoma del mismo origen. El Señor va al fondo de nuestra vida, hasta las áreas más escondidas y remotas de nuestra infancia, para reconstruir lo que nos está afectando en el presente.

En un congreso en Caracas, orábamos por sanación interior. Se acercó una religiosa canadiense, misionera en Honduras, que nos pedía interceder porque vivía con una tristeza crónica.

Comenzamos a orar por ella. De pronto, a una persona del equipo le vino una imagen mental. Vio a una niña pequeña sola llorando en un bosque donde había mucha nieve. Le preguntamos a la religiosa si esto le recordaba algo.

Ella comenzó a llorar y contó: "Cuando era pequeña vivía en Canadá. Una tarde que nevaba salí sola al bosque. La nieve tapó mis huellas en mi camino y me perdí. Cuando quise volver a casa, no sabía por dónde regresar y me sentí abandonada. Lloré más de dos horas, hasta que me encontró mi familia. Para mí fue algo muy doloroso. De allí en adelante comencé a tener muchos miedos".

Entonces oramos al Señor así: "Tú sabes, Señor, lo que ella sufrió. Hazle sentir que estaba en la palma de tu mano y tus ojos nunca se apartaron de ella, pues cuidabas cada paso que ella daba. Para ti no hay pasado ni futuro, todo está presente ante ti. Ponemos ante tu presencia lo que le sucedió en el bosque y te pedimos que sanes la herida emocional que esto le causó."

Yo volví a ver a esa religiosa varios años después, cuando fuimos a predicar a Tegucigalpa, y me platicó que su vida había cambiado a partir de aquella sanación interior.

Por otro lado, una persona sana es fuerte frente a las adversidades, enfrenta los problemas sin miedo, no teme las críticas ni se deja llevar por "el qué dirán". Quien ha sido sanado por el Señor, tiene una fortaleza interior capaz de resistir embates. Con el salmista puede exclamar: *"Aunque acampe contra mí un ejército, mi corazón no teme, aunque estalle una guerra en contra mía, estoy seguro en medio de ella"*. Sal 27,3.

El siguiente testimonio nos muestra muy claro cómo la persona sanada es capaz de perseverar en la nueva vida .[1]

En mi familia viví un ambiente de costumbres y normas cristianas. Cursé mis estudios en un excelente colegio de religiosas y cumplí siempre con las prácticas de piedad. Podría decir que tenía excelente información cristiana, pero no necesariamente formación cristiana pues no conocía a ese Dios vivo y nunca experimenté la Nueva Vida traida por Jesús a este mundo.

A los 15 años, al acercarme al Sacramento de la Confesión, fui hondamente traumada por el sacerdote. Esto motivó que no me volviera jamás a confesar. ¿Para qué confesarme con alguien que era peor que yo? Ni siquiera el día de mi matrimonio me reconcilié.

Como toda novia, llegué ilusionada al matrimonio, esperando dar y recibir todo de mi esposo. Tuve varios hijos, pero poco a poco fui perdiendo mi ilusión. Vivíamos en el egoísmo y me faltaba lo único que necesitaba: amor. Aquellos sueños se fueron tornando pesadillas y la felicidad

---

[1] Este testimonio es insertado bajo la exclusiva responsabilidad del editor, quien tuvo conocimiento directo de la persona que lo cuenta.

celestial que yo esperaba del matrimonio se convirtió en un infierno. El peor de los infiernos no son los gritos, golpes, ni siquiera el odio, sino la falta de amor.

A los siete años de casada, estaba ávida del amor que no recibía de mi esposo. Estando cada vez más lejos del Señor, no lo busqué, sino que traté de recibir amor de una persona que trataba de ayudarme. Yo pensaba que así se llenaría aquel vacío que cada vez se hacía más hondo. Por esta razón caí en la infidelidad conyugal.

Lo que yo pensaba sería solución, agravó mi problema matrimonial, pues cada vez me alejaba más de mi esposo. Me sentía muy mal con mi manera de comportarme, pero no podía hacer otra cosa. Volví a caer otra vez y entonces fue la catástrofe.

Emocionalmente sufrí un trauma: me detestaba y despreciaba a mí misma. Hasta me descuidé físicamente. Ya no me interesaba mi persona. Por otro lado, se acrecentaron las agresiones conyugales y llegué a perder la ilusión por la vida misma. Quería morirme porque no le encontraba sentido a una vida tan vacía donde no existía el amor.

Sin embargo, me justificaba echándole la culpa de mi pecado a mi marido: "Si me amara, no hubiera hecho lo que hice". Incluso, a veces me alegraba de mi infidelidad, pero al final siempre me sentía peor.

Viví dos años en el miedo, acusándome y culpándome. Temía que otros lo supieran y mi marido se enterara. Pero ¿de qué servía que ellos no lo supieran, si lo sabía yo? Eso me mantenía en una terrible angustia. Cada día me sentía menos humana, menos mujer.

Las pocas veces que iba a Misa, hasta comulgaba, sin tener reparo en la palabra de San Pablo de que *"quien come indignamente el cuerpo del Señor, come su propia condenación"*. De todos modos ya me sentía condenada, amargada y peor que antes.

En estas circunstancias asistí a un retiro de la Renovación Carsimática, donde recibí el bautismo en el Espíritu Santo. Yo pensaba que el Espíritu Santo no era para los pecadores, pero entendí que el Espíritu nos capacita para acercarnos arrepentidos a pedir el perdón de Dios. Yo sola me condenaba por mi pecado. El Espíritu me dio el arrepentimiento y la seguridad de que Dios estaba dispuesto a perdonarme.

En ese retiro, el Señor me dio el don de lenguas. Esto me impactó todavía más: ¿Cómo, a mí, tan pecadora, Dios me amaba tanto que hasta me daba este destello de su ternura? No pude entender tanto amor... y era sólo el principio. Había algo en mí que me decía que me faltaba lo mejor.

El domingo siguiente fui a Misa, pero, aunque lo intenté, no me fue posible comulgar. Dios me estaba protegiendo de cometer otro sacrilegio. Entonces tomé la difícil determinación de volver a confesarme, pues recordaba aquella herida de mi juventud. Pero si en una confesión había perdido la fe, para regresar tenía que pasar por la misma puerta.

El día 20 de julio, que yo no sabía era la festividad de María Magdalena, me volví a confesar después de 15 años. Me presenté tímidamente al sacerdote, como aquella mujer que se acercó por detrás de Jesús para lavarle los pies.

Era terrible recordar lo que tanto me angustiaba. Era revivir con toda intensidad mi dolor y vaciedad. Sin embargo, al hacerlo, el Señor me quitó el gran peso que ya no podía soportar. Experimenté en toda su magnitud el amor y el perdón de mi Jesús. El sacerdote no era Emiliano Tardif, sino el mismo Jesucristo que me acogía con ternura. No me rechazó ni me condenó.

Para mí era como el amor de Jesús a la pecadora del Evangelio. ¡El Señor me había perdonado!

No sólo recibí su perdón, sino que el Señor me sanó tanto de aquel trauma de mi confesión como de la falta de amor y la infidelidad. Esa confesión me llenó del amor que tanto necesitaba. Me sentí humana, restablecida, rehecha. Allí mismo renació el amor a mi esposo.

Me arrodillé y le besé los pies al sacerdote, regándolos con mis lágrimas. Estaba inundada de una paz total que no podía describir. Esa tarde volví a nacer, pero ahora con esperanza, alegría y fuerza. Una hora después comulgué: no era yo quien recibía a Jesús, sino Jesús el que me recibía, me aceptaba, me amaba y llenaba todo el vacío de mi vida.

Gracias a esa bendita confesión he conseguido una fuerza para mi debilidad. Soy consciente, más que nunca, de mi fragilidad; pero ahora mi corazón no está vacío, ya no tiene qué pedir limosna, pues ha encontrado la Perla Preciosa.

Antes quería morirme porque no le encontraba sentido a la vida. Ahora quiero morirme por la alegría de ver cara a cara al Señor que ha sido tan bueno conmigo. Aquel trauma ha sido curado y soy una mujer nueva, totalmente nueva, como María Magdalena.

Años después encontré a esta persona. Al preguntarle cómo estaba, ella me contestó:

Muy bien, gracias a Dios. No todo ha sido fácil, pero es mucho más difícil vivir lejos del Señor que bajo su Señorío. Sin embargo, ni aunque me volviera a sentir sola o abandonada buscaría ese amor engañoso que destruye la vida.

La sanación interior, es al mismo tiempo como una operación que extirpa un tumor y una vitamina que fortifica nuestra vida.

La narración del texto de los Discípulos de Emaús, ilustra perfectamente lo que es la sanación interior: Lc 24,13-35.

Aquel mismo día, iban dos de ellos a un pueblo llamado Emaús, que dista 60 estadios de Jerusalén, y conversaban entre sí sobre todo lo que había pasado.

Mientras conversaban y discutían, Jesús en persona se apareció en medio de ellos, pero sus ojos no pudieron reconocerlo.

El les dijo: "¿De qué discuten entre ustedes mientras van caminando?". Ellos se pararon con aire entristecido. Uno de ellos llamado Cleofás le contestó: "¿Eres tú el único que no sabe las cosas que han pasado en estos días en Jerusalén?". El les dijo: "¿Qué cosas?".

Ellos le contestaron: "Lo de Jesús de Nazareth, que fue un profeta poderoso en obras y palabras delante de Dios y de todo el pueblo; cómo los sumos sacerdotes lo condenaron a muerte y lo crucificaron. Nosotros esperábamos que sería él quien fuera a liberar a Israel; pero, con todas estas cosas, llevamos tres días de que todo esto pasó.

El caso es que algunas mujeres de las nuestras nos han sobresaltado porque fueron de madrugada al sepulcro y, al no encontrar su cuerpo, vinieron diciendo que habían visto una aparición de ángeles, que decían que él vivía. Fueron también algunos de los nuestros al sepulcro y lo hallaron tal como las mujeres habían dicho, pero a él no lo vieron".

El les dijo: "¡Oh insensatos y tardos de corazón para creer todo lo que les dijeron los profetas! ¿No era necesario que el Cristo padeciera eso y entrara así en su gloria?".

Y, empezando por Moisés y continuando con todos los profetas, les explicó lo que había sobre él en todas las Escrituras.

Al acercarse al pueblo a donde iban, él hizo ademán de seguir adelante. Pero ellos le forzaron diciéndole: "Quédate con nosotros, porque atardece y el día ya ha declinado".

Y entró a quedarse con ellos. Y sucedió que, estando a la mesa con ellos, tomó el pan, pronunció la bendición, lo partió y se los iba dando.

Entonces se les abrieron los ojos y lo reconocieron, pero él desapareció de su lado. Se dijeron uno a otro: "¿No estaba ardiendo nuestro corazón cuando íbamos por el camino y nos explicaba las Escrituras?".

Y, levantándose inmediatamente, se volvieron a Jerusalén y encontraron reunidos a los Once y a los que estaban con ellos, que decían: "¡Es verdad! ¡El Señor ha resucitado y se ha aparecido a Simón!".

Ellos, por su parte, contaron lo que había pasado en el camino y cómo lo habían conocido en la fracción del pan.

Los discípulos estaban muy heridos en su corazón, porque Jesús había sido condenado a muerte y así habían muerto todas sus esperanzas e ilusiones. La cruz fue para ellos incomprensible y quedaron así frustradas todas sus ansias de restauración. A consecuencia de ese trauma, sus ojos se volvieron incapaces de ver claramente la realidad.

"Nosotros esperábamos -como que ya no esperaban- que Jesús fuera el salvador de Israel...". Jesús comenzó a recordarles las Escrituras, los profetas y que todo eso debía suceder. La primera parte de su sanación fue gracias a la Palabra.

La Palabra de Dios limpia, purifica y sana: *"Ustedes están limpios* -dice Jesús a quienes lo han escuchado- *gracias a la Palabra que les he anunciado":* Jn 15, 3. *"No los sanó hierba ni emplasto alguno, sino tu Palabra, Señor, que todo lo sana":* Sab 16, 12.

El Señor nos alimenta a través de su Palabra sanadora. La Palabra de Dios, que del fondo de las tinieblas hizo aparecer la luz, nos ilumina y vivifica.

Los discípulos recorrieron 11 kilómetros recibiendo sanación. Su tratamiento duró todo el camino, como dando a entender que mientras caminemos por la vida necesitaremos de la Palabra sanadora del Señor, que es como una lámpara.

Jesús hizo ademán de seguir adelante. Entonces ellos le rogaron: "Quédate con nosotros, que ya está anocheciendo". Jesús entró a su casa y se sentó a la mesa para cenar. Entonces tomó el pan, lo bendijo, lo partió y se lo dio. En ese momento se les abrieron los ojos.

La Eucaristía, Palabra y Pan, les abrió los ojos para comprender el misterio del sufrimiento. Lo que nos sana no es la supresión del dolor, sino la comprensión del mismo. Cuando nos colocamos frente a Aquel que murió en una cruz, pero que ha vencido a la muerte, entonces se recobra la esperanza y se sanan las heridas. Se participa de la resurrección, pues se recobra una nueva vida.

Jesús Eucaristía es sacramento de sanación, o mejor dicho, su presencia salvífica sana físicamente, pero de manera particular los corazones.

Al reconocer a Jesús, cambió su actitud. Ellos, que regresaban a su casa desanimados y tristes, al recibir su sanación profunda esa amargura se desvaneció y se les abrieron los ojos.

Mil veces hemos sido testigos del mismo fenómeno: las heridas emocionales causan trastornos físicos. Los más frecuentes son: insomnio, úlceras, enfermedades nerviosas, parálisis, malestares en el aparato digestivo y hasta ceguera. Sin embargo, al sanar la raíz del problema, desaparece el síntoma físico.

Los discípulos, ya sanados, tenían una nueva mentalidad, tenían unos ojos nuevos, veían el mundo distinto; ya no estaban desesperados ni agobiados, sino llenos de gozo por haber visto a Jesús resucitado. Se levantaron al momento y se volvieron a Jerusalén, para anunciar la Buena Noticia a los Once que se encontraban encerrados en el Cenáculo.

Quien ha sido sanado interiormente, se levanta de su postración. No puede ser de otra forma. Se convierte en testigo y anuncia la resurrección de Cristo Jesús.

El que ha sido sanado no habla tanto de su sanación, sino que se convierte en un testigo autorizado de la resurrección de Jesús. En carne propia muestra los frutos de la resurrección de Jesús.

Hay tanta gente herida en su memoria por acontecimientos del pasado, que necesita sanarse porque esa lesión profunda tal vez produce temor o tristeza. He visto gente que lleva en su corazón una gran amargura que la hace antipática, y ella misma rechaza toda muestra de afecto. Esa gente no necesita que la rechacemos, sino que oremos por la raíz de sus problemas. Ellos no quieren sufrir ni hacer sufrir, pero están heridos y por eso contagian de dolor todo lo que les rodea.

Jesús va sanando las heridas del corazón cuando se lo pedimos. Como leemos en el libro de Malaquías: "*Para ustedes los que temen mi nombre, brillará el sol de justicia, con la salud en sus rayos*": Mal 3, 20.

Jesús es el sol de justicia y puede sanar las heridas causadas por las injusticias de la vida. Como para curar lesiones en la piel se toman baños de sol, así mismo, al estar delante de Jesús, él va sanando las heridas emocionales de la vida.

Según progresa la sanación, el corazón se va liberando del sentimiento de odio, rencor o amargura, y ese lugar es ocupado por el amor que a raudales brota del corazón de Jesús.

Nosotros nos esforzamos por liberarnos de ese rencor, pero solos no podemos lograrlo: necesitamos de un poder superior que nos sane. Ese poder lo tiene Jesús, renovador de corazones heridos.

El siguiente testimonio muestra cómo la sanación interior no es algo mágico, sino que también exige una cooperación por parte del paciente y hay que pagar el precio de la conversión, el perdón o cualquier cosa que esté impidiendo la plenitud de la vida.

Una pareja tenía graves problemas. Ella abandonó el hogar y se fue a vivir con otro hombre.

Sin embargo, al poco tiempo se arrepintió de su error e intentó regresar al hogar.

Su esposo no la quería recibir, pero a instancias del párroco del lugar le abrió las puertas de la casa... mas no las del corazón.

Para él resultaba imposible perdonarla y devolverle la confianza. Se perdió la comunicación y su corazón estaba tan herido, que se volvió impotente para tener relaciones conyugales.

Fue a ver doctores especializados que le dieron tratamientos a base de hormonas y de shocks eléctricos, pero sin ningún resultado positivo.

En una oración de curación interior se le dijo que el origen de su impotencia era que no había podido perdonar a su esposa. El confesó que no podía. Entonces lo primero que hicimos fue pedirle al Señor que le diera la capacidad de perdonar. Por fin, con un acto de decisión, lo hizo.

Fue tan fuerte ese momento, que cayó al suelo desvanecido por algunos minutos. Se levantó y regresó a su casa con otra cara.

Al día siguiente su comentario fue: "Estamos en una nueva luna de miel, incluso mejor que la primera...".

Este hombre no necesitaba consejos ni tratamientos para su impotencia sexual, sino sanar la raíz de su problema: perdonar a su mujer. En cuanto lo hizo y se oró por su sanación interior, desapareció su problema.

El Señor quiere darnos un corazón manso y humilde como el suyo, pero para eso necesitamos que él nos sane como sanó a los tristes y desanimados discípulos de Emaús.

En el tiempo de Jesús, cuando había un leproso lo sacaban fuera de la comunidad porque era peligroso, pues podía contagiar a los demás. Pero Jesús que era la plenitud de la vida, tocó al leproso y no se contagió, sino que lo libró de su padecimiento.

Con razón dice el profeta: *eran nuestras dolencias las que llevaba, tomó nuestras flaquezas, cargó con todas nuestras enfermedades* y *por sus llagas hemos sido curados.* (Is 53, 4-5).

Esto es lo que da Jesús: vida, salud, gozo, alegría y paz, porque para él no hay imposibles. Si ustedes son personas heridas, no digan "yo soy un caso desesperado". No hay casos desesperados; sólo hay hombres y mujeres que se desesperan porque no conocen a Jesús. Pero a partir del día que ustedes tengan su encuentro personal con él y descubran su amor sanador, todo va a cambiar.

"Si crees, verás la gloria de Dios". Jn 11,40. Y la verás en tu propia vida, dándote un corazón nuevo, unos ojos nuevos, una nueva mentalidad. Tal vez eres un hombre -o una mujer- amargado, odioso, que todo lo critica, que todo lo maldice, para el que nada está bien; pero en la medida en que Jesús va cambiando tu corazón, te convierte en un hombre -o una mujer- lleno de los sentimientos de su corazón. Entonces tú puedes ser testigo del Reino y del poder de Dios.

Muchos condenan a los demás diciendo: "Este es un perverso". Pues bien, no hay perversos: lo que hay son hombres y mujeres que luchan con problemas que los aplastan. Pero Jesús vino a romper nuestras cadenas y a darnos la libertad. Lo que nos parecía perverso era algo que Jesús tenía que sanar.

Cuando el ladrón de la cruz le suplicó: *"Acuérdate de mí cuando estés en tu reino"*, Jesús no le contestó: "Bueno, tú has sido muy malo, has robado a mucha gente y has matado. Así que vamos a pensarlo". Tampoco le dijo: "Voy a hablar mañana con mi Padre, para ver qué opina de tu caso". A Jesús le fue dado todo el poder en el cielo, la tierra y los abismos. Por eso le aseguró: *"Hoy mismo estarás conmigo en el paraíso"*.

Así es como el Espíritu Santo produce en nuestras vidas los frutos de su amor. Hay personas que cambian totalmente de sentimientos y los demás se preguntan: ¿Qué le ha pasado a éste, que antes era triste, criticón y amargado, y ahora por dondequiera anda como volando, contento y afirmando que el Espíritu Santo le está dando los sentimientos del corazón de Jesús?

No podemos juzgar a los demás. Han sido heridos y por eso lastiman a los otros. En vez de condenarlos, debemos orar por la sanación de su corazón. Vamos a recibir grandes sorpresas. Verás cómo el Señor te utiliza para sanar el corazón herido de tu niño, tu esposo o tu esposa.

He aquí dos ejemplos de sanación interior:

A.- La samaritana: sanación del odio racial

Esta mujer fue sanada del odio ancestral entre los samaritanos y los judíos. Después de su sanación interior, reconoció a Jesús como el Mesías y fue a decirles a sus amigos de Samaría: "Me encontré con Jesús", y llevó a sus amigos con él, y él entró en la ciudad de los samaritanos.

B.- Pedro: sanación de la herida a causa de sus negaciones: Lc 22-54-62.

Destaca singularmente en el Evangelio la sanación de Pedro, quien el Jueves Santo negó tres veces a Jesús. Mientras el Maestro era interrogado por el Sumo Sacerdote, siervos y guardias de éste habían encendido una hoguera en medio del patio y se calentaban alrededor. Una sirvienta le preguntó a Simón: "¿No eres tú también de los discípulos de ese hombre?". Pedro repuso: "No lo soy".

Poco después vinieron otros y le insistieron: "¿No eres tú también de sus discípulos?". Pedro respondió: "No lo soy". Pasada como una hora otro sirviente le dijo: "¿No te ví yo en el huerto con él?". Pedro volvió a negar, y al instante cantó por segunda vez un gallo.

El Señor se volvió y miró a Pedro, quien recordó las palabras de Jesús: "Antes de que el gallo cante hoy, me habrás negado tres veces". Y saliendo fuera rompió a llorar amargamente. Pedro encontró los ojos de Jesús que lo miraban con dulzura. Era una mirada de comprensión y de perdón, no de reproche. Con esa mirada de amor comienza la sanación interior de Pedro.

Pero después de su resurrección, cuando Jesús se aparece a los discípulos a orillas del mar de Tiberíades, él mismo enciende una hoguera para preparar el pescado para el desayuno. Luego separa a Pedro del grupo para preguntarle tres veces: "¿Me quieres?". Y la respuesta de Pedro a cada interrogación fue: "Señor, tú sabes que te quiero".

La herida causada por la triple negación fue sanada por la triple profesión de amor.

Así como toda hoguera le hubiera recordado siempre sus negaciones, la hoguera prendida por Jesus a orillas del lago le recordará siempre su amor por Jesús.

3

JESUS ESTA VIVO

A los cinco años de haber aparecido el libro "Jesús está Vivo" me doy cuenta que estaba en el plan de Dios, aún antes de que yo pensara escribirlo.

Después de un retiro dije a Faith Smith: "Yo oro por mucha gente, pero pocos oran por mí. ¿Podría usted hacerlo?" Ella aceptó con mucho gusto. Me impuso las manos y después de orar en lenguas, comenzó a reír. Entonces me preguntó:

- ¿Ha escrito usted algún libro?
- No. Simplemente unas circulares a mis amigos y unos artículos en algunas revistas.
- Pues tengo una visión en la que veo a mucha gente riéndose y gozándose, leyendo un libro escrito por usted...

Pasó el tiempo, y un día José Prado me pidió permiso para publicar algunos de mis temas grabados en cassettes. Yo le repliqué:

- Pero ¿por qué mejor no me ayudas a escribir un libro? Quiero agradecer a Dios por estos 10 años de ministerio de evangelización.

Venimos a La Romana, visitamos Nagua, estuvimos en Pimentel, entrevistamos personas y le entregué el material que tenía. Luego lo revisamos y después de seis meses apareció el libro "Jesús está Vivo", en 1984. Para mi sorpresa, inmediatamente se tradujo a varios idiomas.

Lo curioso es que la gente que lo leía siempre me decía lo mismo: "Padre, he gozado leyendo su libro. Me he reído y me ha dado mucha esperanza". Otras dicen que lloran y no son pocas las que se sanan. Un hermoso comentario lo recibí en la siguiente carta del 27 de noviembre de 1984:

Querido Padre Emiliano:

En primer lugar quiero disculparme si me dirijo a usted con cierta familiaridad, pero la verdad es que después de haber leído "Jesús está Vivo", siento como si todo el libro hubiera sido una gran carta escrita para mí, pues en realidad el mensaje es tan claro y el sentimiento de amor por sus hermanos en Cristo es tan perceptible, que lo menos que se puede sentir es gratitud y amor por aquel que Jesús utilizó para transmitir este mensaje.

Reciba mi admiración, respeto y un caluroso abrazo de este su hermano en Cristo Jesús

Rafael Gutiérrez Gutiérrez.

En el Congreso Ecuménico de Kansas, donde se reunieron 45,000 personas la Hermana Briege McKenna hizo oración por mí y tuvo una visión: "Veo -me dijo- el globo terráqueo y que se van prendiendo lucecitas en los diferentes puntos. Usted va a predicar en muchos países el amor de Jesús que sana".

Lo más sorprendente es que a partir de allí comencé a ser invitado en muchos países de América Latina y otros de habla francesa. Después de haber sido testigo del amor de Jesús que sana, se han ido encendiendo luces de fe en muchos corazones.

Hoy día son más de 50 países donde he sido testigo del amor misericordioso de Nuestro Dios. Sin embargo, a través del libro he llegado a lugares que ni conozco.

Así pasó en Hungría, donde yo nunca he predicado. Recibí la siguiente carta:

Budapest, Febrero 88

A fines del 1987 leí con gran gusto la traducción húngara de su libro: "Jesús está Vivo" . Me llenó de gran esperanza el relato sencillo y alegre de las maravillas de Dios. Pero no le escribo para contarle esto, sino algo más importante.

Yo estaba enferma de mi mano derecha. Tenía una tendonitis, que ni podía escibir ni hacer los trabajos de casa. Un día tuve que interrupir mi trabajo porque todos los objetos se me caían de las manos.

En eso, me puse a leer su libro... llegué al capítulo donde habla de la Eucaristía que celebró por los lectores enfermos. No leí la oración, sino que oré la sencilla plegaria. Me sentí envuelta en la fuerza del Señor y obligada a levantar mis brazos durante la oración. De pronto una corriente de calor corrió por mi brazo y en ese momento el dolor desapareció. Mi mano derecha no sólo quedó sana, sino más fuerte que la otra.

Eszther Molnár

Lo más curioso es que ni siquiera sabíamos que el libro había sido editado y distribuido atrás de la Cortina de Hierro. Hay tantas ganas de evangelizar, que ni nos piden permiso para publicarlo. Como San Pablo, repito: "Yo me alegraré y congratularé con tal de que el Evangelio sea anunciado".

La curación de Eszter Molnár es mi paga, y todavía yo le salgo debiendo al Señor. .

Hay otros testimonios igualmente hermosos. El primero de ellos lo contó la persona misma en la radio de la siguiente forma:

Mi nombre es Augusto César Victoriano Baldera. Soy cadete de la Fuerza Aérea Dominicana. Tengo 22 años de edad y resido con mis padres en la calle Club de Leones 188.

Hoy día vengo a dar fe y testimonio de algo que me afectó a mí en lo personal y que manifiesta que Jesús está vivo.

El día 8 de octubre de 1984 fui recluído en el Hospital Ramón de Lara de la Fuerza Aérea Dominicana, padeciendo fuertes dolores en la espalda, pérdida de sensibilidad en la pierna derecha y una total neutralización en el nervio ciático de la misma pierna.

No podía caminar sin apoyarme en la pared, por lo que a menudo tenía necesidad de una silla de ruedas.

Los médicos diagnosticaron una hernia discal entre la cuarta y la quinta vertebras. Luego de 15 días de estar internado, me enviaron a mi casa para que tuviese un reposo por lo menos durante seis meses.

Para mí era muy difícil aceptar mi enfermedad. Yo, que volaba en avión de combate y saltaba desde los aviones en paracaídas, estaba ahora sin poder caminar por mí mismo... El sueño de mi vida, ser cadete de la Fuerza Aérea de mi país, estaba a punto de truncarse.

Cuando llegué a casa, mi mamá se preocupó, pero con su fe en Dios me entregó un libro llamado "Jesús está Vivo".

A las 12 de la noche de ese mismo día tomé el libro para leerlo. Apenas llevaba 19 páginas, sentí que debía ponerme en oración. Con miedo de que me escucharan mi hermanito y mi primo que dormían en el mismo cuarto, comencé la oración en voz baja, que sin saber yo cómo se convirtió en una alabanza en voz alta.

Mientras tanto, en la otra cama, sin yo darme cuenta, mi hermano también estaba haciendo oración por mí.

En el momento experimenté una sensación de paz y tranquilidad dentro de mí.junto con un pequeño cosquilleo en todo mi cuerpo.

Llamé a mi hermano y le dije:" Chalí, algo me está sucediendo. Tengo un poco de flexibilidad en mi cuerpo".

Entonces me senté, empecé a doblarme en la cama y cuando me dí cuenta de que el Señor estaba realizando un proceso de curación tanto corporal como espiritual, llamé a mi hermano y le dije: "Vamos a ponernos en oración y a darle gracias a Dios".

Ya cerca de la una de la mañana se despertó mi primo, preguntando qué sucedía. "El Señor está curando a Rudy", contestó mi hermano con toda seguridad. Mi primo no dudó y explotó con un: "¡Gloria a Dios!".

A las tres de la mañana mi mamá se unió a la acción de gracias. El Señor me sanó esa noche.

Los médicos dicen que esto es increíble, pues mi recuperación debería tener un tiempo mínimo de seis meses. Sin embargo, no han pasado ni dos meses cuando ya estoy completamente sano. He sido reintegrado a la Fuerza Aérea.

Después de mi curación he saltado seis veces en paracaídas y llevo más de 15 horas de vuelo en avión de combate. Puedo practicar deporte, corro, realizo todo lo que un hombre sano hace, para gloria de Dios.

Soy un hombre nuevo, tanto en el cuerpo como en el espíritu. Pero lo más grande no es que me haya reintegrado al ejército, sino que el Señor me llamó para ser su testigo entre los cadetes. Ahora yo pertenezco a un nuevo ejército, que proclama que verdaderamente Jesús está vivo y da vida a los suyos.

Evangelizar a través de un libro es como la labor del sembrador que lanza la semilla de la Palabra por todos lados, confiado en que el Señor es quien da el crecimiento.

El siguiente testimonio muestra hasta donde puede llegar esto.

Santiago del Estero. (Argentina) Noviembre de 1988.

Amado hermano y Pastor en el Señor: Dios le bendiga, Padre Emiliano.

Mi nombre es José A. C. Mirkin, soy judío, circuncidado, bisnieto de Rabinos,. Aunque fui bautizado en el catolicismo, al no ver "El poder del Espíritu en plena acción" me fui con los cristianos evangélicos. Llegué a ser un predicador evangélico. Sin embargo el Señor Jesús me regresó "a casa" hace poco. Una de las personas que más influyó para mi retorno a la gran familia católica fue usted con su libro "Jesús está vivo".

El testimonio, lleno de paz, dulzura y gozo, es propio de aquellas personas que han hecho una profunda entrega al Rey de reyes y León de Judá: Jesús. Alabo y bendigo al Señor por la obra que realiza en usted y a través de usted. Dios lo bendiga. En Cristo Jesús y Mamá María.

José A. C. Mirkin

También tiene su parte de cruz. El trabajo aumenta y se pertuban las horas de sueño. Cada día recibo correspondencia en idiomas que desconozco, pero yo la pongo debajo del Sagrario y le pido a Jesús que él, que sí las entiende, atienda esas intenciones. Muchas veces me despiertan llamadas del Japón o de Italia para pedir oración. Como ellos me hablan durante el día, acá es de noche o de madrugada.

Una vez me hablaron desde Arabia Saudita, y yo sólo respondía: "Ajá, ajá...". Luego pienso: ¿Por qué la gente gastará tanto en llamadas de larga distancia, si tiene a Jesús en su corazón y le puede pedir directamente?

En verdad el Señor es maravilloso. Mucho más grande de lo que nos imaginamos. Yo a veces me pregunto: ¿Cómo es que la gente recobra la fe, revive la esperanza y sanan sus cuerpos leyendo este libro tan sencillo que da testimonio del poder salvífico de Jesús?

Entonces recuerdo la palabra de San Pablo: Dios ha escogido lo necio y pobre de este mundo para confundir a los sabios. Y al darme cuenta que así es no tengo de qué vanagloriarme, pues toda la obra es suya y toda la gloria para él.

Luego me deleito en el Evangelio de San Marcos y no encuentro relato más sencillo y hermoso que esas páginas llenas de candor y simplicidad. Si hay quienes leen mi libro, yo prefiero ir a la fuente original: El Evangelio.

A decir verdad, voy a hacer una confesión que podría parecer un atrevimiento. El esquema de nuestro libro tuvo como prototipo el Evangelio de Marcos. Un día que lo dije, me objetaron: Pero, ¡qué atrevimiento! ¡querer escribir algo semejante al Evangelio! Sin embargo, a mí me asustaría más intentar escribir algo que no se pareciera al Evangelio.

He aquí otro testimonio que muestra algo más que curaciones, pues se ha llegado a la acción y al compromiso.

Santiago de Chile, septiembre de 1986.

Padre Emiliano:

Primero que todo damos gracias a Dios por su venida a nuestro país, porque ha fortalecido a muchos en la fe; cada reunión que hemos tenido con usted, salimos convertidos en "hombres nuevos", creyendo que Jesús está vivo en nuestro corazón.

Lo que me ha motivado a escribirle, es contarle lo siguiente:

Trabajo en una empresa de alrededor de 800 personas. Teníamos inquietudes de ser portadores del mensaje del Señor, pero no sabíamos cómo llevar su Palabra. Queríamos evangelizar, pero aparte de que nunca nadie nos ha enseñado cómo hacerlo, se presentaron muchos problemas y todos nuestros proyectos fracasaron.

Pero como Dios es tan grande y poderoso para superar nuestras limitaciones, se sirvió de un detalle muy sencillo: El Dr. Iván Franjic y Luis Silva me regalaron cada uno el libro "Jesús está Vivo" , que leí como tres veces, dándome cuenta de las maravillas que realiza el Señor.

Esto fue ocasión para que iniciáramos una obra evangelizadora en mi sección, donde laboramos unas 90 personas. Cada vez que alguien se enfermaba, le llevábamos el libro y hacíamos oración por el enfermo.

A medida que pasaba el tiempo este trabajo de buena voluntad fue creciendo, dándose a conocer silenciosamente, hasta que nos vimos en la necesidad de crear la "Pastoral del enfermo Santa María".

Ahora en la empresa todos conocen su libro y dicen que es lo más hermoso que ha pasado por sus manos. Tal vez lo más grande no es que todos hayan recibido una sanación física sino que ha servido para la conversión de la mayoría.

Durante el retiro en Catalina Lobouret me dio mucha alegría encontrar tanta gente de mi trabajo alabando y cantando. Gracias a Dios que ya se están viendo los frutos del Señor.

Nuestro grupo crece cada día más en número y en compromiso. En nuestras reuniones de oración pedimos por usted y su comunidad, para que el Señor lo siga llenando de gracias, bendiciones y que la luz del Señor los acompañe siempre, para que así pueda llevar el mensaje de Cristo a todos los rincones del mundo.

Eternamente agradecidos por las maravillosa labor de nuestro Señor Jesucristo. Amén.

Patricio Ordóñez González

El doctor Marino Ariza escribió el artículo *"Consideraciones"* en *El Listín,* de Santo Domingo, el 14 de abril de 1983 , en el que decía:

Nos hemos deleitado y serenado con la lectura de su tierno y bello libro "Jesús está Vivo", que más que un libro es un testimonio: "Un grito que se levanta, dando esperanza a todos aquellos que se atreven a creer que el Jesús que murió en la cruz ha resucitado y está vivo, y por tanto todo es posible".

Este testimonio brotado del corazón de un singular testigo de Jesús, debe ser leído por todos. Mucha esperanza nos caerá en alma con la lectura de un testimonio tan autorizado.

¡Adelante!, Padre Tardif, aunque a veces se interponga en su camino la Semana Santa!

En la República Dominicana apareció un reportaje en *"Biblioteca"*, el 13 de julio de 1985. El autor subraya que aspecto más importante no es la cantidad de libros vendidos, sino que descubre la razón por la que la gente lo lee:

Los católicos, a diferencia de los evangélicos o de los pertenecientes a otras denominaciones cristianas, no suelen ser muy inclinados a la compra de material religioso, a menos que sean estampitas, escapularios y objetos de dudosa valoración religiosa.

Entonces, ¿por qué el libro "Jesús está Vivo" se ha vendido como "pan caliente" y es tema obligado de tertulias, asambleas y grupos de oración? ¿Qué ha sucedido?

En un mundo turbado por desconsuelos, frustraciones y angustias de todo tipo; en una sociedad calcinada por el odio, la mentira y los falsos profetas; en un ambiente donde se respiran tanta hipocresía y maldad; en fin, en un mundo sencillamente enfermo y anhelante de paz, el Padre Tardif testifica que Dios es la única solución real y eficaz a los problemas humanos y, en consecuencia, la única vía posible de sanación física y espiritual.

La historia de esa fe y de ese reencuentro de Tardif con Jesucristo, está escrita en este libro.

Unos lo leen por curiosidad otros por una necesidad de reavivar la esperanza, pero todos se dan cuenta de que Dios actúa en nuestras vidas.

Conclusión

¿Es el libro el que sana? Esta cuestión sería como preguntar: ¿Los pañuelos de Pablo sanaban? ¿La sombra de Pedro curaba? De ninguna manera. Jesús, que está vivo, es el único capaz de vivificar. Atribuir la sanación a un objeto, lugar, fórmula o incluso persona, está muy cerca del paganismo.

Este libro no es sino el dedo que indica que Jesús está vivo hoy, y que debemos tener los ojos fijos en él y no en ningún hombre ni instrumento que él use para transmitir su salvación.

4

ENTREVISTA

Reuniendo diversas entrevistas en diferentes lugares del mundo, hemos seleccionado las preguntas más interesantes, así como las respectivas respuestas del Padre Emiliano.

1.- ¿En qué consiste propiamente el don de curación?

El don de curación es, como en todos los demás carismas, una manifestación del Espíritu Santo. San Pablo afirma: *"A cada cual se le otorga la manifestación del Espíritu para provecho común"*. Luego enumera nueve: *"La palabra de sabiduría, la palabra de ciencia, la fe, el carisma de curaciones, el poder de milagros, la profecía, el discernimiento de espíritus, las lenguas y la interpretación:* 1 Cor 12, 8-11.

- Padre, pero se dice que esos carismas extraordinarios eran únicamente para el principio de la vida de la Iglesia... y que ahora ya no son necesarios...

Pero, ¿quién ha dicho eso? ¿Entonces también la fe que San Pablo enumera en la misma lista era sólo para el principio de la vida de la Iglesia?

- El Concilio Vaticano II habla de estos dones extraordinarios que son parte de la vida de la Iglesia de hoy. Ver Lumen Gentium # 4 y 12.

- Por otro lado, el Cardenal Ratzinger en su libro "Diálogos sobre la fe", afirma:
"En el corazón del mundo seco por el escepticismo y el racionalismo, nace la experiencia del Espíritu Santo, que ha tomado una amplitud mundial a través del Movimiento de Renovación. Lo que dice el Nuevo Testamento de los carismas que aparecieron como signos visibles de la venida del Espíritu Santo, no es ya simplemente historia antigua y enterrada, sino que hoy esa historia vuelve a aparecer con vibrante actualidad".

2.- ¿Por qué en la Iglesia Católica todavía no se aceptan los carismas con carta de ciudadanía, mientras que en muchas Iglesias Evangélicas es lo más común?

Debo puntualizar diferentes aspectos:

A.- Me parece que es porque nuestra Iglesia catequiza mucho y evangeliza poco. Los signos acompañan la proclamación de Jesús vivo, pero no en la misma proporción cuando enseñamos verdades y la doctrina de la fe.

El día que resurja el anuncio explícito de Jesús como Salvador y Señor, veremos prodigios en el cielo y señales en la tierra. Para mí el problema no es la ausencia de carismas. Eso es sólo la consecuencia.

La raíz está en que hemos dejado de proclamar el anuncio de la muerte redentora y la gloriosa resurrección de Nuestro Señor Jesucristo.

B.- Por otro lado, hemos caído en la tentación del pelagianismo: usar solamente los recursos humanos y contar únicamente con los medios naturales para realizar la obra de Dios.

Cuando se hace el análisis de la realidad, se olvida que contamos con el poder de Aquel que resucitó a Jesús de entre los muertos. La obra de la Iglesia es una misión imposible que sobrepasa las fuerzas de los hombres. ¿Cómo realizarla sin el poder del Espíritu Santo?

Ni la ciencia ni las técnicas pueden suplir la acción del Espíritu. No olvidemos que *"si el Señor no edifica la casa, en vano se cansan los constructores":* Sal 127,1.

C.- También puede ser una reacción ante las exageraciones que a veces se dan por algunas partes. Yo también estoy en contra de las deformaciones, pero la existencia de cizaña nunca justifica el arrancar el trigo.

D.- Se trata de un resurgir de algo que se había empolvado, y ahora que aparece no se sabe qué hacer con aquello ni cómo manejarlo. Pero dentro de poco será lo más normal. Yo espero que pronto lo anormal sea que un día no haya curaciones, y la gente se espante porque en esa ocasión no se manifestó el poder de Dios.

E.- Por último, puedo decir que ya hay muchos Obispos abiertos a estas manifestaciones carismáticas. Sólo le voy a citar tres casos:

- Mons. Rafael Bello, Arzobispo de Acapulco, escribió una hermosa carta pastoral sobre la *Nueva Evangelización 2000* con motivo de los 15 años de la Renovación en su arquidiócesis. La diferencia con otros escritos episcopales, es que en ellos se habla y se evalúa a la Renovación, mientras que en este, él ha querido comunicar el fruto que él personalmente ha recibido. El # 54 dice así:

Son muchísimos los evangelizadores que actúan siempre bajo la moción del Espíritu Santo. Me da gusto entre tantos escoger al Padre Tardif, por ser él mundialmente conocido como tal, por venir tan a menudo a evangelizar a México y por ser un amigo que dirigió el retiro sacerdotal carismático en Acapulco en 1984.

El motivo central (el leitmotiv) de su predicación, de sus cartas personales o circulares, así como de sus conversaciones, es: ¡Qué fácil y eficaz es evangelizar con el poder del Espíritu Santo! Todos los países lo han oído *"hablar de las maravillas del Señor y todos estaban llenos de admiración":* Heb 2, 11-12.

Su extraordinario carisma de sanación atrae a miles y miles de auditores, y él aprovecha para evangelizar incansablemente. Piensa como Pablo: *"¡Ay de mí si no anunciare el Evangelio!":* 1Cor 9, 16!

Recomiendo fuertemente el estudio en grupos de su libro "Jesús está vivo". El Padre Emiliano nos convence de que la Renovación es una fuerza evangelizadora, porque inicia a sus miembros a abrirse al poder del Espíritu, a sus dones y carismas.

El Cardenal Renard confesaba al Padre Tardif que la Renovación ayudaba a sacerdotes y Obispos a reconocer que la incredulidad y el racionalismo son el obstáculo a un apostolado fecundo. Luego el Cardenal decía:

"Al Espíritu Santo le ponemos unos rieles para que camine por ellos, y él vuela al margen de los mismos. El Espíritu Santo no sigue nuestros programas pastorales.

Obviamente necesitamos una metodología pastoral, pero toda metodología debe ser permeable para que el Espíritu Santo pueda usarla y hasta transformarla.

La Iglesia es un Pentecostés permanente y no una racionalización permanente".

- El Cardenal Ratzinger, en el libro antes citado, dice:

Una señal de esperanza en la Iglesia es la aparición de nuevos movimientos que nadie había planificado ni esperado, pero que surgen espontáneamente de la vitalidad intrínseca de la fe. En ellos se vislumbra algo así como la aurora del Pentecostés de la Iglesia: pienso en particular en el Movimiento Carismático, las Comunidades neocatecumenales, el Cursillo, el Fokolare...

- Para terminar, los últimos Papas han expresado cosas bellísimas sobre la Renovación. La más hermosa es la de Pablo VI, cuando se refería a la Renovación como "una oportunidad para la Iglesia y el mundo" (19 de mayo de 1975).

3.- ¿Usted habló de exageraciones en los carismas. ¿Cuáles son éstas?

El problema principal es cuando los sacamos de su contexto:

- En el relato de Marcos, la frase anterior a imponer las manos sobre los enfermos para que se sanen, habla de proclamar la Palabra: *"Vayan por todo el mundo y proclamen la Buena Nueva a toda la creación"*. Es decir, los signos portentosos son acompañantes del anuncio del Evangelio. No se dan aislados, sino cuando proclamamos la salvación en Cristo Jesús.

- Por su parte Mateo, concluye su mandato evangelizador con: *"Bautizándolos en el nombre del Padre y del Hijo y del Espíritu Santo"*: Mt 28, 18-19. Es decir, a la sanación debe seguir la vida sacramental.

Se trata, pues, de una cadena con tres eslabones: Palabra-Sanación-Sacramento. De no ser así, se desvirtúa.

Al principio de mi ministerio, un sacerdote fue a verme a Canadá para que participara en su Congreso.

Yo acepté ingenuamente. Pero durante el Congreso él dirigía la oración, cantaba y daba todas las conferencias. El presidía la Eucaristía, decía la homilía y hasta daba los avisos. Al final del día sólo me pedía que orara por los enfermos.

Allí aprendí a no orar por los enfermos, si no tengo la oportunidad de proclamar la victoria de Jesús en la cruz y el triunfo de su resurrección.

4.- ¿Cómo se dio cuenta de que usted tenía el don de sanación?

Después de haber orado por enfermos en muchos grupos de oración, el 18 de noviembre de 1973 un enfermo que sufría de artritis y artrosis me pidió orar por él. Al terminar la oración comenzó a caminar, dejando de lado su bastón. Estaba totalmente curado.

Posteriormente, constaté cómo con frecuencia Jesús sanaba más y más enfermos. Así comenzó para mí esta vida de sorpresas, que jamás me imaginé hasta dónde habría de llevarme.

Yo creo, por otro lado, que mi ministerio es evangelizar. Cuando se anuncia a Jesús, cuando proclamamos el Kerygma, es entonces que aparecen estas señales.

5.- ¿El carisma se aprende? ¿Hay técnicas?

Yo no diría que se aprende, sino que se fortalece. Entre más se pone al servicio de los enfermos, más se desarrolla.

Es un don gratuito, que si no se utiliza no se desarrolla. Pero si se pone al servicio de los enfermos, se va fortaleciendo y se manifiesta más. Yo hoy veo más sanaciones, que hace cinco años en las mismas circunstancias. El uso del carisma nos hace crecer en la fe. En cuanto más sanaciones vemos, más seguros estamos de que otros también serán sanados.

6.- ¿Cuál es el principal obstáculo para recibir carismas?

Yo creo que el miedo a perder nuestra reputación. Los carismas son una cruz y muchos no están dispuestos a llevarla. El ejercicio de algunos carismas provoca que muchos nos juzguen locos, que otros se burlen y no pocos nos desprecien o persigan. Mientras no estemos dispuestos a morir a nosotros mismos, aún a costa de nuestros privilegios y renombre, no recibiremos estos carismas. Recuerdo muy bien a un párroco vecino que se burlaba de los carismáticos, y en sus homilías dominicales aseguraba que los que hablaban en lenguas era porque les faltaban vitaminas...

Le voy a compartir una anécdota que les conté en el Primer Retiro Mundial para Sacerdotes organizado por la Renovación Carismática en Octubre de 1984, en Roma: Asistieron unos 6,500 sacerdotes, más de 80 Obispos y varios Cardenales.

Yo les dije: "Muchos sacerdotes tendrían carismas muy hermosos si no tuvieran tanto miedo a perder su reputación y tanta preocupación por su propia fama. El respeto humano y el miedo al qué dirán nos cierran a la acción del Espiritu. Hay que morir a nosotros mismos, para que pase el Espíritu a través de nosotros". Luego les conté:

> En una ocasión estábamos en un retiro, llenos de la alegría del Señor. Todo había transcurrido con mucho gozo, pero al mismo tiempo con la paz que viene del Señor. Para el momento final estaba programada la Eucaristía, presidida por el señor Obispo de aquella diócesis.
>
> A ese Obispo no le gustaban las manifestaciones espontáneas, ni los cantos alegres, ni los carismas, incluso había prohibido los aplausos y que la gente levantara las manos. En varias ocasiones había hablado muy fuerte en contra de todas estas cosas, por lo cual la gente le tenía un poco de miedo.

Cuando él llegó se callaron las guitarras y enmudecieron las voces de alabanza, al mismo tiempo que las manos levantadas cayeron por tierra. Todo tomó un tono muy formal y serio.

Cuando se disponía a dar comienzo a la Eucaristía, precisamente en ese momento, hubo una falla en el sistema del sonido. Todos estaban nerviosos. El sacristán revisaba los alambres, otro prendía y apagaba el micrófono, mientras que uno más trataba de averiguar lo que le había sucedido al amplificador.

La gran iglesia, llena de gente impaciente, esperaba en un tenso silencio el comienzo de la Eucaristía. Para calmar un poco los nervios, el Obispo, llevándose la mano a la cabeza, dijo en voz alta:

- ¡Parece que tenemos un problemita con los micrófonos...!
- "Y con tu espíritu", respondió toda la multitud.

Creían que había comenzado la Eucaristía y respondieron con una sabia palabra.

Hay muchos que tienen problemas con sus micrófonos. No le dan espacio al Espíritu para que se mueva libremente. Lo quieren encajonar en moldes preestablecidos y no lo dejan volar con la libertad del viento que sopla como quiere. Los que tienen problemas con sus micrófonos es porque están demasiado cuidadosos de lo que los demás opinen.

Si fuéramos menos celosos de nuestra reputación, estaríamos más abiertos al Espíritu Santo. El miedo a hacer el ridículo nos impide abrirnos a los carismas del Espíritu. Los carismas ciertamente son humillantes. Nos llevan a la cruz.

Por eso muchos les temen y otros los rechazan. Se acaban los horarios de descansos y se recortan las horas de sueño. Por otro lado, la reputación no crece, sino que uno se vuelve blanco de burlas, críticas y sarcasmos... pero en el fondo todo eso se sobrelleva, siempre y cuando no tengan problemas con los micrófonos.

7.- ¿No es muy peligroso un don así?

- En primer lugar es don; es decir, regalo gratuito de Dios. La sanación es obra exclusiva de Dios que pasa por instrumentos humanos.

- Por otro lado, es para provecho de la comunidad, no de la persona que tiene el don.

Si se acaparara la gloria de Dios para uno, sería muy peligroso. Hasta se podría condenar alguien con el don de sanación:

"Muchos me dirán aquel día: "Señor, Señor"
¿no profetizamos en tu nombre
en tu nombre expulsamos demonios
y en tu nombre hicimos muchos milagros?
Y entonces les declararé: Jamás os cconocí,
apártense de mí, agentes de iniquidad: Mt 7,22-23.

Si lo ponemos para servir a la comunidad, es un don precioso. Si nos reconocemos como simples instrumentos nos edifica.

Sin embargo, el mayor beneficio que yo veo es que incrementa la fe de la comunidad, despierta a los que duermen y revitaliza el ministerio de evangelización mostrando a Jesús vivo en medio de nosotros.

8.- Padre, si San Pablo dice que lo esencial es el amor, ¿por qué se le da tanta importancia a los carismas?

Yo no se la doy. Se la dio Jesús (Mt 4,23). San Pablo dijo que "las señales" identificaban al verdadero apóstol (2Cor 12,12). Yo más bien preguntaría: ¿Por qué algunos menosprecian lo que para Jesús tenía un gran significado?

Desgraciadamente nosotros oponemos lo que se complementa. El amor en abstracto no existe. El ejercicio de cualquier carisma es un servicio a la comunidad y por tanto es amor .

9.- Casi siempre se habla del Padre Tardif como una estrella aislada. ¿Usted trabaja solo?

Aparte de ser Misionero del Sagrado Corazón, tengo mi comunidad llamada "Siervos de Cristo Vivo", en la que somos 87 miembros. Cualquier ministerio, y sobre todo este, es muy peligroso si se realiza aislado.

Mis hermanos de comunidad me aman y me corrigen. Yo aprendo mucho de ellos. Ellos no me admiran tanto. Soy simplemente su hermano, con el que ellos están comprometidos a que llegue a la santidad.

Me gusta mucho más predicar retiros con otras personas que den puntos de vista diferentes en la evangelización. Incluso con parejas que puedan tocar los temas de la familia de una manera mucho más completa que yo. Trabajo actualmente con una comunidad de seglares.

Nuestra comunidad nació en 1981-82. Con la ayuda de muchos bienhechores hemos conseguido una casa en la capital dominicana, que es nuestro centro de formación para evangelizadores.

La casa fue inaugurada el 19 de marzo de 1984 y el 25 de marzo comenzó el ministerio de la adoración del Santísimo. De aquí surgió la idea de llamarla "Casa de la Anunciación". Cada día se expone el Santísimo desde las ocho de la mañana hasta las ocho de la noche. La comunidad se ocupa de los distintos ministerios, pero el primero es la adoración del Santísimo.

En la casa hay un sacerdote todas las tardes, para atender a las personas que buscan dirección espiritual. Tenemos además la celebración de la Eucaristía.

La Casa es, primeramente, un centro de formación de evangelizadores con la contemplación de Jesús en la Eucaristía.

La Casa de la Anunciación evangeliza en retiros carismáticos dentro y fuera de la ciudad. Lo hace a través de programas de televisión y radio.

Cada uno vive en su respectiva casa, pero nos reunimos semanalmente para orar, dialogar y planificar su apostolado.

Tenemos dos retiros anuales para alimentar nuestra vida espiritual con más fuerza. Los miembros son seglares, no tienen votos, pero tienen ciertos compromisos básicos.

10.- ¿En su comunidad evangelizadora usted es el único que tiene el don de sanación?

Varios tienen carisma de sanación física, otros el de sanación interior. De los 87, 11 han recibido palabra de ciencia, y varios tienen carisma de profecía o de liberación. Le voy a contar algo que sucedió con un catequista de la Casa:

Llegó una persona con sus muletas, casi sin poder caminar, buscando al Padre Tardif para que orara por su sanación.

El catequista que la recibió le informó que no estaba. El enfermo se desconsoló mucho, pero aquella persona le aclaró:

- Mira, oro y plata no tengo, pero lo que tengo te doy. Vete a la capilla donde está expuesto Jesús-Eucaristía. El te va a sanar.

El enfermo se fue y después de unos 15 minutos de oración salió caminando por su propio pie.

11.- Mucha gente cree que el Padre Emiliano Tardif es un santo. ¿Qué opina usted?

Yo me río de todo eso. A veces, cuando estoy solo y me voy a acostar en la noche, digo :"Si supieran quién soy yo, se quedarían más tranquilos". No he dejado de ser un cura de pueblo en una islita perdida en el Mar Caribe.

Nunca puedo pensar que soy más que el burro que lleva a Jesús. Yo bien sé que cuando me visten de reconocimiento y me ponen mantos en el suelo, es porque le dan la bienvenida al Jesús que yo porto. Y cuando ya lo llevé, a mí me regresan otra vez a mi corral; y al retornar, no hay mantos de flores ni reconocimientos: entro en el santuario de mi ser y digo: "¡Señor, qué grande eres tú!"

Este regreso del burro a su casa es lo que nos mantiene en la humildad. La soledad y el estar frente a frente de Jesús no nos permite engañarnos. Cuando me arrodillo y recito las maravillas de Dios en los Salmos, pienso que si la gente conociera más a Dios, se fijaría menos en nosotros.

Mi comunidad sabe que no soy santo, pero que sí anhelo llegar a serlo. Es una vocación de todos los bautizados. Pero equivocadamente pensamos que un santo es sólo una persona cuya imagen colocan en un altar o que realiza milagros. Para mí, ser santo es mucho más que eso: es ser como Jesús. ¿Quién no quiere ser santo?

Es más, desde mi bautismo, al ser enraizado en la muerte y resurrección de Cristo Jesús, ya llevo el germen de santidad por el don del Espíritu que me ha sido otorgado gratuitamente, sin ningún mérito de mi parte.

El don de sanación no es signo de santidad, es un don gratuito. Si lo pongo al servicio de los enfermos con paciencia y con amor, puede ayudar a santificarme, porque es puro ejercicio de la caridad, y a veces muy pesado.

Un día alguien me dijo: "Emiliano, ¿no te da miedo a que la gente te canonice en vida por tanto milagro?". Yo le contesté: "Prefiero que me crean un santo a que me crean un bandolero".

12.- Padre, cuando usted predica a las multitudes, ¿se provoca la histeria colectiva?

Hay manifestaciones que no calificaría de histeria, sino un entusiasmo normal ante la presencia salvífica de nuestro Dios. Por ejemplo, los Salmos están llenos de estas expresiones.

Por otro lado, los escribas y fariseos sintieron exagerados los gritos de "¡Hosana!" al Hijo de David. Yo más bien me pregunto ¿por qué la gente sí puede gritar y entusiasmarse con el triunfo de su equipo favorito en un estadio y no puede expresar su emoción ante el único que venció a la muerte? ¿Por qué se puede llorar de emoción ante un artista y no de alegría ante el Señor de los señores?

Aunque no dudo que algunas personas exageren en su expresión emocional, a otras les falta libertad de expresión.

- Pero a veces hay exaltación y emocionalismo...

Yo prefiero tener un exaltado que un muerto. Al exaltado lo puedo corregir y educar; pero con el muerto ¿qué se puede hacer?

13.- ¿Por qué hay algunas personas que se sanan y otras no? Unas que aparentemente tienen mucha fe y hasta parece que merecieran la sanación, no son curadas; y, por el contrario, se sanan otras personas que nunca hubiéramos pensado?

Aquí hay dos cosas que conviene distinguir. La primera es porqué la gente se sana y la otra es porqué no se sana.

- Con respecto a la primera voy a contar algo que nos pasó hace tiempo, en una reunión donde discutíamos precisamente la razón de fondo por la qué el Señor nos sana. Alguno daba un argumento bíblico, otro se apoyaba en que era una promesa del Señor, etc.,

Había allí un joven con cara de bobo que quería opinar, pero nadie la daba oportunidad. Por fin, cuando todos terminaron sus profundas reflexiones sobre el tema, el joven dijo con voz pausada: "Yo creo que Dios nos sana porque estamos enfermos".

Después de darle mil vueltas al mismo asunto, yo he llegado exactamente a la misma conclusión: Dios es un Padre bueno que se compadece del dolor de sus hijos.

- Con respecto a la razón por la que otros no se curan, no tengo la más minima idea. Pero en cuanto llegue al cielo, es lo primero que le voy a preguntar a Dios. Lo cierto es que hasta paganos que no tienen fe, se sanan ... como lo ví en Africa y en India.

En una campaña de evangelización en Bandaka, Zaire, una tarde se juntaron en el estadio deportivo unas 25,000 personas para la Misa de sanación. Un niño pagano que pasaba al lado del estadio, entró de curioso para ver qué sucedía allí. Era el momento de la Comunión.

Luego vino la oración de sanación. Ese niño de 12 años de edad sufría de taquicardia desde que nació. El sintió de pronto que un calor muy fuerte le invadía, algo como una corriente eléctrica que le pasaba por el cuerpo. Era el Espíritu del Dios vivo que resucitó el cuerpo de Jesús en el sepulcro, que lo llenaba y lo sanaba.

Después de la Misa el niño quedó totalmente sanado de su taquicardia, y el médico pudo verificar que lo que le había pasado no era fantasía de su imaginación, sino una verdadera sanación de su corazón.

En la clausura de la campaña de evangelización ese niño de 12 años dio su testimonio con una audacia muy sorprendente, y terminó dando gracias al Señor de la siguiente manera: "Yo no soy cristiano, pero ahora quiero serlo".

Estamos delante del misterio del amor de Dios. Si bien el Señor sana sólo algunos, a todos nos ofrece la sanación definitiva: la vida eterna, en donde no habrá más enfermedad, luto, ni llanto. Nosotros recibimos gratuitamente sanaciones, pero no somos nadie para cuestionar a Dios: ¿por qué sanas a este y no a aquel? No es sanado uno porque lo merece, sino que es un don gratuito.

Josefina Guzmán de Zapotiltic, Jal. (México) nos muestra que el Señor nos cura porque estamos enfermos y no porque lo merezcamos por nuestras buenas obras. Es una acción de su libérrimo amor.

Desde hacía algunos años estaba sufriendo una enfermedad que me hacía sentir débil todo el día. Me faltaba la respiración y no podía desempeñar los trabajos domésticos. Por esta razón, mi esposo se enojaba y decía que era muy floja. Esto me causaba mucha desesperación y tristeza.

Fui a ver al doctor, el cual me diagnosticó baja presión. Me recomendó tomar una copita de cognac todos los días. Como no tenía dinero para comprar el cognac, me tomé una cerveza pequeña. Ciertamente me hizo sentirme mejor. Al otro día me tomé una cerveza mediana y me sentí todavía mejor.

Al poco tiempo me tomaba una al levantarme y otra por la tarde. Luego añadí otra para dormir. Sin darme cuenta, me precipité en el alcoholismo. No quería ser alcohólica, pero al mismo tiempo no podía dejar de tomar.

Por un lado me sentía muy débil. Por otro, me estaba acercando a la tumba por medio del vicio del alcoholismo. Me dí cuenta en carne propia de cómo el pecado repercute en el cuerpo. Yo, enferma del alma, caí enferma del cuerpo.

Fui a Alcohólicos Anónimos. Allí me dijeron que lo que me hacía daño era sólo la primera copa. Sin embargo, me encontraba en un callejón sin salida: si no tomaba no podía trabajar; pero si no trabajaba, mi esposo me golpeaba.

Yo estaba segura de que únicamente un milagro podía hacerme salir de ese hoyo tan grande. Pero los milagros eran para otros tiempos y para gente buena, no para borrachas como yo.

Entonces comenzé a asistir a los Grupos de Oración de la Renovación, donde supe que el Señor hacía milagros hoy en día. Allí escuché la Palabra del Señor, que nos enseña que el pecado es el origen de todos los males y enfermedades. Entonces pensé que me hacía falta una buena confesión y me acerqué al sacramento, aprovechando el jubileo del Año Santo de 1983.

Poco a poco mi salud se fue deteriorando más y más. Entonces fui a ver al doctor Ismael Espejo, el cual me hizo un papanicolau el 24 de mayo de 1984.

El resultado fue un cáncer en la matriz. Estaba tan avanzado, que me dieron por desahuciada. La ciencia médica no podía hacer nada conmigo, pues el cáncer estaba en su quinto grado de avance.

A pesar de mi enfermedad, no dejé de asistir a la oración. Me costaba mucho trabajo moverme, pero para mí ya estaba primero el Señor que cualquier otra cosa.

Un día nos avisaron que el Padre Emiliano Tardif venía a Guadalajara y celebraría una Misa por los enfermos en el Auditorio de la ciudad. Durante la oración por los enfermos, yo sentí que una mano suave se posó sobre mi hombro izquierdo.

En noviembre de ese mismo año hubo otro encuentro en el Estadio Jalisco. Más de 60,000 personas estábamos allí alabando a Dios por sus maravillas.

Después de la Comunión, el Padre Emiliano comenzó la oración de sanación asegurando que Jesús iba a curar a muchos enfermos, pero no a todos.

Yo me dije a mí misma: "Pues tú eres de los que no van a sanar, porque eres borracha y no lo mereces". Entonces me puse en las manos de la Virgen María, para que ella me presentara ante su divino Hijo.

El Padre Emiliano, a través de una palabra de conocimiento, dijo que cinco personas se estaban sanando de cáncer, entre ellas una señora con cáncer en el vientre.

Yo le tomé en serio la palabra al Señor. Me levanté del asiento y grité con todas mis fuerzas: "¡Soy yo!" La gente volteaba a verme, unos con desconfianza, otros con alegría, pero yo estaba segura de que el Señor me acababa de sanar.

EL 4 de enero del 85 me hicieron otro examen. El resultado fue maravilloso. ¡Ya no existía el cáncer! El doctor no se explicaba lo que había sucedido, pues habiendo comprobado un cáncer de quinto grado extendido por toda la pelvis, yo estaba perfectamente sana.

Yo le repetí las palabras del Padre Tardif: "Jesús es el amo de lo imposible". Para comprobar tengo todavía este último examen del 1o. de julio de 1986".

Ya no necesito tampoco del alcohol. Las cervecitas se acabaron. Ahora tengo unas fuerzas como cuando era joven. ¡Mi fortaleza es Yahveh. ¡El es mi escudo! ¡El Señor que me curó el alma, me ha sanado el cuerpo! Hago entrega de mis exámenes médicos por si alguien los necesita. Yo no. Yo mejor quiero preparar mi examen final cuando Jesús me pregunte qué hice por él en los más necesitados que yo.

14.- ¿Qué es lo que siente interiormente cuando un ciego empieza a ver o un paralítico se levanta de la camilla?

Me da mucha alegría, como el gozo que tuve cuando me sane el Señor.

Voy a contar sólo dos casos de sanaciones que reflejan el amor misiericordioso de Dios, y dígame usted si no es para estar feliz y contento:

Predicaba un retiro en la provincia de Quebec. La primera noche, en la oración de sanación, recibí una palabra del Señor de que se estaba sanando alguien que sufría de sordera en el oído izquierdo. Pregunté quién era y un policía se levantó muy emocionado diciendo: "Soy yo, yo no oía nada del lado izquierdo y ahora estoy escuchando perfectamente".

La segunda noche del retiro hubo otra oración, por sanación. Una palabra de conocimiento era que alguien que había tenido un accidente y sufría mucho de la columna vertebral se estaba sanando. Pregunté quién era esa persona que tenía mucho calor en la espalda y sufría de la columna vertebral: "Levántate y te vas a dar cuenta que tu dolor ha desaparecido". Y se levantó el mismo policía de la víspera. Con lágrimas en los ojos dijo: "Soy yo, no siento ningún dolor".

La tercera noche, una de las palabras de ciencia era la siguiente: "Aquí hay alguien que tiene mucho dolor debajo de las uñas de los dedos de los pies; tú sientes los pies muy calientes, con mucho ardor y el Señor te los está sanando. Pregunté quién era y se levantó otra vez el policía y dijo: "Soy yo". Era su tercera sanación. El sufría la gota, pero yo no sabía que así se llamaba esa enfermedad.

Después de esto, la gente ya no quería que el policía regresara al siguiente día, pues pensaba que iba a acaparar todas las sanaciones de la semana. Yo les aclaré: "No, así no es la sanación. El poder de Jesús alcanza para todos. Como en las bodas de Caná, él convierte tanto vino que hasta se puede celebrar otra boda. Dios ha hecho especial misericordia con él para que todos podamos confiar en su amor. Nuestro Dios tiene bendiciones para todos sus hijos".

A los l5 días teníamos un retiro en Montreal, y el policía dio testimonio de su triple sanación: oído, columna vertebral y la gota. Este hombre que estaba muy alejado de Dios tuvo un cambio tan grande que ahora, cuando prediqué últimamente en su ciudad, Lasarre, él es uno de los líderes de la Renovación Diocesana y trabajan mucho él y su esposa.

La triple sanación alcanzó a toda la familia en su transformación espiritual. Eso es lo más hermoso del testimonio.

Dios no es mezquino. A veces uno sufre de varias cosas y le pide nada más una sanación al Señor, como si fuera algo que costara mucho. Hay que tener confianza y pedir el paquete completo. Dios tiene para eso y más.

Otro testimonio muy simpático que muestra el buen humor de nuestro Dios, ocurrió en Santiago del Estero, Argentina, en 1984, en un estadio repleto con 30,000 personas, durante una jornada de evangelización que duró cinco noches:

> Después de la predicación teníamos la celebración de la Eucaristía. Una madre de familia había llevado a su hijo de cinco años de edad, que tenía dos años paralítico. Durante la Comunión, como el niño no podía moverse, la madre lo dejó sentado en la silla y ella se fue a comulgar.
>
> Había tanta gente, que tardó un poco en volver a su lugar con su hijo. Pero al terminar la Misa se acercó llorando al micrófono, para preguntar quién se había llevado a su niño paralítico que estaba sentado en la silla.
>
> Alguien se dio cuenta de que el "perdido" estaba atrás, jugando con otros niños. El Señor lo había curado durante la oración de sanación, y el niño se había bajado de la silla y se había ido a divertir con otros pequeños.

15 .- Y ¿qué siente cuando la gente no se sana?

Me da compasión, pero no siento que se les quite nada. Insisto en que Jesús nunca ha dicho que se sanarían todos los enfermos, sino que nos daría signos para acompañar la evangelización. Las curaciones son signos que acompañan el anuncio del Evangelio, pero no es necesario que se sane todo el mundo, para que se crea en la Palabra de Dios.

Un periodista me refutaba una vez: "Yo creo que habría que suspender esas reuniones, porque mucha gente va esperando ser sanada y regresa enferma a sus casas. Es peor ser defraudado, que no haber esperado". Entonces le respondí: "Habría que cerrar también los hospitales, porque mucha gente que ingresa a ellos, sale en una caja para el cementerio".

Yo no lo veo así. Yo creo que todos los enfermos que participan, aunque no se sanen físicamente, pueden recibir alguna gracia. El despertar a la fe es para muchos una sanación importante.

Aunque el enfermo no se sane, siempre recibe una bendición del Señor. El siguiente reportaje titulado *"Revivir"* es narrado de manera muy bella por José M. Troche del periódico *El Diario,* de Asunción, Paraguay, el 22 de abril de l988:

> Estaba allí, mustio como una flor en otoño. Triste. Esperando la muerte. Y los años iban pasando, y esa muerte que deseaba como una liberación a sus sufrimientos no llegaba. Se sentía preso, pero no tenía rejas que le impidieran fugarse; pero tampoco podía hacerlo, aunque quisiera. No hay cárcel más triste que la de la silla de ruedas, cuyo tripulante pasea una impotencia trágica
>
> El ya no lo podía soportar. A los 40 años, con una chequera de "varios dígitos", estaba atado a su silla y era un esclavo de su familia. Lo llevaban adonde no quería ir; lo sacaban a la calle cuando él quería acostarse; lo acostaban cuando quería pasear. Nadie tenía tiempo para él. Y pensar que

trabajó como un negro durante 20 años, ganando centavo tras centavo, hasta conseguir montar el negocio del cual podían vivir sin sobresalto, pero que ya no podía atender.

Todos los días -desde aquella tarde de domingo, cinco años atrás- despertaba con la misma angustia. Hacía mentalmente todo cuanto podía para levantarse de la cama, pero las piernas no le respondían. Se asía a unas manoplas que habían instalado en la cabecera de su cama, y sólo así lograba levantarse. Miraba sus piernas: enormes, musculosas, de atleta; pero estaban dormidas.

El accidente automovilístico había sido terrible, pero él había logrado sobrevivir. El otro -un muchacho de 17 años- había muerto. "¿Por qué no habré muerto yo en vez de él?", se lamentaba, ante esa muerte en vida que padecía, y de la que ya estaba harto. La última vez que lo vi estaba más abatido que nunca. Pensando en morir, pero sin ánimo de suicidarse.

Pero... algo pasó, no hace mucho. Como todos los domingos, su hijo mayor empujaba la silla hacia la Misa dominical. Lo encontré casi por casualidad. Me dispuse a escuchar su monótona letanía de quejas, pero era ya otro hombre. Sonreía como hacía años que no lo hacía. Se había puesto una camisa blanca, y dejó de lado su triste vestimenta gris. Hasta olía a perfume francés, prueba evidente de que había resucitado a la vida cotidiana. "¿Por qué pones esa cara?", me saludó.

Quién sabe qué cara de sorpresa habría puesto yo al mirarlo. No era mi mirada conmiserativa de siempre, ni nada parecido. Era, tal vez, una cara perpleja, asombrada. Y mis ojos, seguro que preguntaron qué pasó.

Seguía sonriendo. ¡Es un milagro! pensé. "Sí, viejo, es un milagro", me contestó como leyendo mi pensamiento. Y me contó la historia. En realidad él se creía muerto, porque tenía muerta el alma. Sin ilusiones, sin asumir su condición de lisiado, olvidando que el cuerpo tiene muchos más órganos vitales importantes que las dos piernas.

"El milagro se produjo aquella noche. Mis chicos me llevaron al Estadio, más que nada compadecidos de mí, a ver si salía jugando el fútbol, como antes. Y ya ves que no. Sigo igual, aparentemente. Pero todo cambió, desde esa noche".

Desde esa noche sintió que era un hombre útil, fuerte, aunque no pudiera caminar, vital y necesario. Desde esa noche volvió a vivir. Esa noche comprendió que no estaba solo, y que la parálisis de sus piernas no era nada ante el cáncer de su alma. Y esa noche se curó. Sanó del ánimo, de su pesimismo, y ya no necesitó ser curado de sus piernas.

16.- ¿Cómo puede usted estar siempre feliz a pesar de tanto enfermo que lo busca, convivir cada día con el dolor y ser una esponja que absorbe la amargura de la miseria humana? ¿No sufre por el dolor de tanta gente?

Sufro al ver tanto sufrimiento, pero no me deprimo. El Señor nos da la compasión, que es un grado de amor por el enfermo... Por otro lado, soy testigo del gran amor de nuestro Dios por quien sufre.

Si es cierto que diariamente estoy en contacto con el dolor del hombre, también es cierto que cada día palpo el poder misericordioso de Dios. Entonces repito con San Pablo: *¿Quién nos separará del amor de Cristo?* ¡Ni la enfermedad ni la muerte pueden lograrlo!

17.- ¿Cómo funciona esa palabra de conocimiento a través de la cual usted se da cuenta de lo que Dios está haciendo?

Yo no veo ni siento nada. Sin embargo, tengo la certeza interior de que una persona se está sanando de algo. La seguridad se confirma cuando certifico que el enfermo realmente fue sanado.

Se trata de un impulso interior, una moción del Espíritu. Es un tirarse al mar, como Pedro, para caminar sobre las aguas.

El Señor decía en una ocasión a una religiosa contemplativa: "Cada vez que tú das una palabra de conocimiento, tienes que hacer un acto de fe como el que haces cuando reconoces que estoy presente en la Hostia Santa".

Es como meterse en un camino lleno de neblina: al principio se descubre sólo lo inmediato, pero en la medida que se avanza se vislumbra más adelante.

Por ejemplo, tengo la certeza de que se está sanando alguien del oído. En cuanto lo digo, se me aclara que es una mujer que siente calor y hasta su edad... Si no estuviera cierto que me viene del Señor, no me atrevería a decirle su edad a una mujer...

Un testimonio muy hermoso es el que Sor Regina Catteeuw nos narra en su carta del 10 de octubre se 1988:

> Reverendo Padre Tardif:
>
> Con gran alegría y agradecimiento le escribo para compartirle una buena noticia: Lucas ha nacido. Es el primogénito de mi hermano y su esposa María Rosa, casados el 22 de agosto de 1975.
>
> El 14 de noviembre, en Gand, la penúltima palabra de conocimiento que usted dijo fue asi: "Hay una pareja que tiene 12 años de casada que no ha podido tener hijos. Dentro de un año ellos tendrán un bebé en sus brazos"
>
> El 22 de agosto, exactamente en el XIII aniversario de su matrimonio, les nació un bebé de cabellos negros que pesó 3.650 Kg. Cuando mi hermano tuvo a su hijo entre sus brazos exclamó con toda ternura:

"Tú has estado tanto tiempo en nuestros anhelos y sueños.
Cada año llegaba la primavera y el invierno,
pero tú no venías.
Pero el que tú no vinieras sino ahora,
es un secreto entre sólo Dios y tú".

La fe de toda la familia ha crecido. Un gran saludo de María Rosa, Lucas y el pequeño Lucas.

Sor Regina Catteeuw

El ejercicio de los carismas es un camino de crecimiento en la fe. Cada vez que ejercito la palabra de conocimiento me tiro al agua, sabiendo que el Señor no falla. También es un camino de amor, porque se sirve de alguna manera a la comunidad. Todos los carismas son para servir, y por tanto son manifestaciones del más grande carisma : el amor.

La palabra de conocimiento es un acto de fe, tanto del que la pronuncia como del enfermo que la escucha; y Dios, que da la fe, responde a esa fe.

18.- ¿Usted hace milagros?

Un día un periodista de Colombia me hizo exactamente la misma pregunta. Yo le contesté: "No, nada de eso. La cosa es muy sencilla: yo oro y Jesús sana". Al día siguiente, él sacó un artículo en el diario que se titulaba: "El Padre Tardif ora y Jesús sana". Cuando vi el periódico exclamé: "¡Por fin un periodista entiende lo que es esto!".

El don de sanación es para los demás, no para uno mismo. A veces yo me he enfermado, y si el don de sanación fuera para mí mismo, yo me impondría las manos sobre la cabeza, oraría y quedaría sanado, pero no es así.

Durante un retiro de fin de semana para 2000 latinos en Tucson, Arizona, el Señor sanó a muchos enfermos, incluso de enfermedades muy importantes, sobre todo de artitris y parálisis. A las dos de la tarde del domingo yo tenía una fiebre muy alta. Me había resfriado y con dificultad alcancé a dar mi último tema. Terminado el retiro tuve que ir a acostarme durante día y medio.

Yo decía: "Si el don de sanación fuera para provecho propio, me impondría las manos y me sanaría de una vez para salir de esta cama". Pero el Señor me enseñó nuevamente que no soy yo el que sana, sino El.

19.- Cuéntenos una sanación que le haya atraído la atención por algo en particular

Yo le voy a contar varias que muestran el buen humor de nuestro Dios.

En 1984 estaba predicando un retiro en la ciudad de Monterrey. Durante la Eucaristía era muy difícil repartir la Comunión, ya que los pasillos estaban atestados de gente. Ayudado por unos guardianes me encaminé a la parte trasera.

Cuando pasaba por enmedio de la multitud, y algunas personas me querían tocar y otros hasta me pedían que les hiciera oración en ese momento, yo pensaba: "Pero si Jesús mismo los puede curar, no sé para qué buscan al Padre Emiliano..."

En medio de tanta gente vi a una señora con ojos llorosos, que llevaba un pequeñito en sus brazos. El niño me miraba con ternura. Yo me acordé de aquel paralítico de la piscina de Betesda (Jn 5), que no podía entrar al agua milagrosa porque no tenía quién le ayudara.

Entonces me acerqué al niño y le di un beso. El se sonrió y yo seguí repartiendo la Comunión. Ordinariamente no doy besos a la hora de repartir la Comunión, pero en ese momento sentí el deseo y lo hice...

Al día siguiente la señora se puso de pie en el micrófono delante de toda la multitud, y dijo: "Ayer, a la hora de la Comunión, el Padre Emiliano pasó cerca de nosotros. De pronto, se detuvo y le dio un beso a mi hijito, que tiene dos años y estaba completamente sordo. Quiero darle gloria a Dios porque desde ayer mi hijo ha comenzado a escuchar. Dios lo ha sanado. ¡Gloria a su Nombre!".

A partir de ese momento se me complicó la existencia. Todo mundo quería que lo besara; pero yo les decía: "No, los besos son nada más para los niños. Las señoras vayan a que las bese su esposo".

Sin embargo, la enseñanza fue muy valiosa. Yo no sané a nadie. El beso, por más signo de amor que fuera, no era capaz de sanar ni un dolor de cabeza. Lo que pasó es que llevaba a Jesús en mis manos, y fue Jesús mismo quien sanó a este pequeñito que estaba sordo.

Yo soy simplemente como el burro que lleva a Jesús, y por eso él sigue sanando a los enfermos. Lo peor sería fijarse en el asno y no en el que va montado en sus lomos. El día que seamos conscientes de que somos portadores de Cristo Jesús, ese día se va a transformar nuestro ministerio: ya no hablaremos tanto de Jesús, sino que le dejaremos actuar con todo su poder.

La forma de sanar de Jesús es tan extraña, que no puedo omitir lo que pasó en Monte María, donde cada domingo se reúnen más de 50,000 personas para la celebración de la Eucaristía, en donde el Padre Gilberto Gómez hace la oración por los enfermos.

En una de estas celebraciones, el asta de la bandera del Vaticano se cayó y golpeó a una persona que caminaba torcida, tirándola al suelo.

Todo mundo se apenó al ver cómo aquel tubo tan grande y pesado fue a caer precisamente sobre una persona enferma.

Para sorpresa de todo mundo, el enfermo se levantó por su propio pie. El tubo le había enderezado la columna. Hasta el día de hoy, camina con normalidad.

Los caminos de Dios están cargados de buen humor. A veces Dios nos sana con un beso, a veces con un tubazo.

Otra sanación muy curiosa que al principio me causó problemas, pero después me hacía reír mucho, nos pasó en Arequipa, Perú, en 1985.

Durante la oración por los enfermos, la primera palabra de ciencia que tuve y que transmití, fue esta: "En estos momentos el Señor está sanando a un paralítico". Luego, con voz más imperativa, añadí: "En el nombre de Jesús, levántate". Ninguno de los que estaban en silla de ruedas se atrevió a dar el paso en fe...

Entonces aclaré: "El Señor está curando en estos momentos a un paralítico. La señal para que te identifiques y sepas que tú eres el que está siendo curado, es que estás sintiendo un calorcito en las piernas y estás temblando. Tú que estás sintiendo ese calor, ponte de pie en nombre del Señor"... Nadie lo hizo.

Un tenso silencio flotaba en el ambiente. Volví a insistir con voz pausada, pero clara: "El paralítico que el Señor está sanando, póngase de pie". Nadie se levantó. Ante la mirada desconfiada de los escépticos, parecía que esa vez nada sucedería.

Entonces, lo que para algunos parecía una buena excusa, dije: "Bueno, tal vez después vayas a dar tu testimonio", y continué dando otras palabras de ciencia que, aunque se verificaban todas, aquella primera dejaba un amargo sabor de boca.

Ya para terminar anuncié: "El Señor está abriendo los oídos a un sordo".

En ese momento un sordo que estaba sentado en una silla de ruedas, se puso de pie y comenzó a gritar: "¡Padre, ya oigo, ya oigo! ¡Antes no escuchaba nada!".

Entonces aclaré: "Con razón: tú eres el paralítico que el Señor estaba curando, pero como también estabas sordo, no te diste cuenta de que el Señor te había sanado de la parálisis. En el nombre del Señor, comienza a caminar...".

Y aquel hombre comenzó a caminar ante el aplauso, la risa y la alegría de la gente... Al final les dije: "Todos los días se aprende algo. De hoy en adelante le voy a pedir al Señor que primero sane a los sordos, para evitarnos esas situaciones tan embarazosas en las que nos mete..."

20.- Padre, ¿qué se siente estar tan cerca del poder de Dios? ¿No es fácil acostumbrarse a que el Señor todos los días se manifieste?

Hay el mismo peligro que cuando se celebra la Misa diariamente. Así como se corre el riesgo de enfriarse al celebrar la Eucaristía, así podríamos acostumbrarnos a este ministerio. La fe se tiene que renovar cada día.

Afortunadamente los testimonios se encargan de volver a entusiasmarnos. Si no comprobáramos lo que el Señor ha hecho, yo creo que ya hubiera dejado esto. Uno a veces se cansa, pero los testimonios nos reaniman para seguir adelante. Al ver la alegría de uno que se ha sanado, yo me ánimo a continuar orando por los enfermos.

21.- ¿Con las sanaciones no se está perdiendo el valor del sufrimiento?

Le voy a contestar con un hecho de la vida real:

Un día se retrasó mi vuelo y llegué tarde a un retiro. El Obispo me recibió un poco impaciente porque él debía salir, y sólo estaba esperándome para darme algunas indicaciones.

En cuanto llegué, casi sin saludar, me indicó con mucha formalidad: "Padre, el sufrimiento y la enfermedad también entran en el plan de Dios. No debemos perder el valor del sufrimiento causado por la enfermedad. Le pido, por favor, que no haya ministerio de sanación durante la Misa". Y luego, mirando su reloj, añadió: "Discúlpeme que no me quede a su conferencia, pero el dentista me está esperando desde hace media hora...".

Yo simplemente le respondí: "Pero, Monseñor, ¿su dolor de muelas no es un sufrimiento valioso a los ojos de Dios? ¿Por qué el médico sí nos puede sanar y Jesús no?".

Para terminar soy yo el que pregunto: ¿Hace falta más dolor en el mundo? En este mundo que ya sufre demasiado, ¿tenemos necesidad de más cruz o del poder de la cruz que nos alcanza todos los frutos de la Redención? No debemos olvidar la palabra profética sobre Jesús: *El tomó nuestras flaquezas y cargó con nuestras enfermedades. Por sus llagas hemos sido sanados.*

En el congreso de Lourdes hubo tanta sanación, que un sacerdote se me acercó y me dijo: "A mí me parece que es demasiada sanación". Mostrándole la gran fila de los que estaban dando testimonio le pregunté: "¿A cúal de ellos tú quitarías?".

22.- ¿Usted ya ha visto maravillas de toda clase?

Creo que no hemos visto nada. El Señor nos da sorpresas mayores cada día:

Pentecostés está comenzando. Vamos a ver cosas todavía más grandes. Viene una época gloriosa, como nunca antes ha existido. El mundo, más que nunca, necesita de Jesús, y él se va a manifestar con todo el poder de su Santo Espíritu.

En la Basílica de San Pedro, en Roma, el 19 de mayo de 1975, Ralph Martin dio una profecía que decía:

> "Viene una época de evangelización
> como nunca antes se ha visto en mi Iglesia".

El profeta Joel anuncia señales en el cielo y prodigios en la tierra, y los estamos viendo:

- En marzo de 1987, como a las 5 de la tarde, predicaba en Coatzacoalcos cuando de pronto el sol se cubrió de una nube que, al moverse, daba la impresión de que el sol danzaba. 15,000 personas lo vimos. ¡Dios es grande!

- En la fiesta de Cristo Rey de 1984, en Monte María, México, las nubes formaron una inmensa cruz en el cielo y luego se añadieron otras dos a su lado.

- En el Zaire, yo predicaba en francés y una señora que sólo hablaba el dialecto lingala me entendió todo.

Dios nos quiere dar signos de que está vivo y tiene poder para salvar el mundo. Veremos cosas mucho más grandes.

23.- ¿Y si un día ya no hubiera sanaciones?

Si no hubiera ninguna sanación, yo estaría muy inquieto y me preguntaría qué es lo que falla en mí, porque el Señor no puede dejar de cumplir sus promesas. El prometió que señales y prodigios acompañarían la proclamación.

24.- ¿También le ha tocado sufrir persecución o rechazos?

Sí. He sido criticado, a veces con ironía, incluso por sacerdotes. Otras ocasiones he sido ridiculizado ... pero eso es parte del ministerio. Todavía hay Obispos que no permiten el ministerio de sanación. Dicen que eso es fanatismo.

Sin embargo, está en el corazón del Evangelio, como acompañante de la proclamación. A mí personalmente no me hieren las críticas. Lo que me duele es que los corazones se cierren al amor misericordioso de Jesús, que quiere manifestarse a través de signos y prodigios.

25.- Padre, ¿eso le trae problemas en su Congregación?

Al principio, un compañero de mi Congregación fue a verme en privado y me aconsejó: "Trata de salirte de esto. Hasta ahora hemos sido una Congregación seria y con esas tonterías vamos a ser burla de todos".

Yo le respondí: "Yo no me salgo, porque veo el fruto en el cambio de muchas personas. Nunca antes mi sacerdocio había sido tan fecundo".

Lo curioso es que hace poco mi Superior Provincial me reclamó en otro sentido: "Tuvimos una reunión de Superiores Provinciales de Europa y se quejan de que tú predicas mucho en esos países y nunca dices que eres Misionero del Sagrado Corazón".

Le contesté: "No lo digo, porque a muchos les da vergüenza de que yo sea carismático, y no quisiera hacer quedar mal a mi Congregación. Lo que ciertamente siempre confieso es que pertenezco al Corazón de Jesús".

El Superior General un día me aconsejó: "Emiliano, yo no quisiera que tuvieras problemas con los Obispos".

Yo le contesté: "Padre, yo no tengo problemas con ninguno. Son sólo algunos los que tienen problemas conmigo".

Gracias a Dios, ahora me han dado libertad para predicar a tiempo completo en todas partes, aunque tengo tan llena la agenda que no me queda tiempo ni para enfermarme.

26.- Cuando las personas reciben sanación, ¿qué sucede con ellas después de esa experiencia?

La persona que recibió la sanación, necesita acompañamiento en su proceso de evangelización. Nuestro error sería no volvernos a ocupar de ella.

La sanación no da la fe, pero sí nos dispone maravillosamente para recibir la Palabra del Señor que engendra la fe. Si no aprovechamos ese momento óptimo para presentarle a Jesús, estamos perdiendo la mejor oportunidad de evangelizarla.

Hay personas que obtienen una gran sanación, pero despúes nadie las acompaña. Reciben la semilla con gran alegría y gozo, pero después no se riega ni abona esa semillita, que puede perderse por falta de cuidado.

La sanación no reemplaza la evangelización, sino que la acompaña.

> En el mes de octubre de l988 prediqué en cinco países de Africa con el Padre Jo Heglin M.S.C. Uno de ellos era Burkina Fasso. Eran más de 400 líderes de la Renovación reunidos durante una semana entera. Pero cada noche del retiro íbamos todos frente a la Catedral para una Misa a las 6:00 de la tarde, donde asistían muchos musulmanes. Ellos creen en Dios (Alá), pero a Jesucristo lo consideran simplemente como un profeta más.
>
> Una sanación que me impactó mucho fue la de una mujer musulmana de unos 45 años de edad, que sufría de parálisis de su lado derecho. Una amiga la había invitado a la Misa de sanación diciéndole: "Anoche muchos enfermos se sanaron, ven con nosotros". Esa mujer fue a la Misa de sanación y durante la oración el Señor la sanó.
>
> En la Misa de clausura ella dió testimonio delante de miles de personas: "Abran sus corazones a Jesús, Jesús está vivo. Yo soy testigo. Yo sufría de parálisis del lado derecho. Fuí a

muchos hospitales y no me sanaba, pero una amiga me trajo a la Misa de sanación el martes por la noche. Yo soy musulmana, pero vine y Jesús me salvó. Me llamo Zenabo, pero a partir de hoy quiero ser cristiana y me llamaré Catalina".

El Espíritu Santo en pocos minutos la convenció de que Jesús era el Mesías Salvador, y que no hay otro Nombre dado a los hombres por el que podamos ser salvados.

Lo que sucede después de una curación es siempre maravilloso. La sanación ordinariamente es una explosión que activa una reacción en cadena, para transformar no sólo a la persona sanada, sino también a los que están a su alrededor. Así lo muestra el siguiente testimonio:

Guadalajra, Jal,. Octubre 11 de 1984.

Mi nombre es María Guadalupe López de Preciado. Mi esposo, Armando Preciado, es reportero del periódico "El Occidental". Tenemos 13 años de casados y tenemos un hijo y una hija. Queremos por medio de este testimonio alabar, bendecir y glorificar al Señor, ya que él ha hecho maravillas en nuestras vidas a pesar de que casi lo teníamos olvidado.

El 3 de julio de 1984 internamos a nuestra hija Claudia en la clínica 14 del Seguro Social, para que fuera intervenida de una supuesta hernia. Al día siguiente acudimos a temprana hora para ver a nuestra pequeña y saber su estado de salud. Nos extrañó que sobre la cabecera de su cama había una orden para hacerle un estudio radiográfico, ya que esto no es común y menos después de operados los pacientes. El doctor, con gran pesimismo nos dijo que parecía que Claudia tenía cáncer. Se le había hecho una biopsia, cuyos resultados aparecían la próxima semana. Si el resultado era positivo la tendrían que volver a operar de inmediato.

El día 11, al medio día esperábamos con gran angustia los resultados. El doctor Barragán nos comunicó que la niña efectivamente tenía cáncer inoperable. Los resultados de la biopsia indicaron neuroblastoma abdominal, etapa III (inoperable), que eran dos tumoraciones que invadían el abdomen casi por completo y que sólo un milagro podía salvar a nuestra hija.

Nos dirigimos a la asamblea de oración para pedir por su sanación. Luego, la pequeña fue trasladada al Departamento de Oncología de otro hospital, a cargo del doctor Juan Arroyo, quien nos confirmó la gravedad de la enfermedad.

Nosotros continuamos orando. El Señor nos dio la dicha de asistir a la Santa Misa oficiada por el Padre Emiliano Tardif en el Auditorio el día 28 de junio a las 17:00 hrs. A pesar de que tuvimos muchos problemas para entrar, lo logramos

Era una fiesta donde el Señor estaba regalando sanación interior o física a diferentes hermanos. El Padre enumeraba a las personas que iban sanando, y desesperados no escuchábamos algo respecto a nuestra pequeña. Al final de la Misa, madre e hija abordamos al Padre Tardif y con angustiadas lágrimas, le dije: "Padre, mi hija tiene cáncer casi incurable, y si ella muere, también yo quiero morir. Es mi única hija".

El Padre, con voz calmada y apacible, me dijo: "No llore, señora. En nombre del Señor, su hija va a sanar". Dicho esto, impuso su mano sobre la cabecita de Claudia e hizo una oración de 5 segundos.

Han pasado tres meses. Los tratamientos de quimioterapia y radioterapia terminaron sin reacción negativa en mi hija. Anexamos copias fotostáticas del expediente de nuestra hija, en el cual en una de sus hojas fechada el día 12 de noviembre dice textualmente: "Las tumoraciones han desaparecido. La paciente será dada de alta".

Después de esta maravilla del Señor, nuestras vidas han cambiado, nuestra unidad se ha estrechado. Muchos de nuestros familiares se han integrado a grupos de oración. Nosotros estamos tomando el Seminario de Vida en el Espíritu.

Para alabanza y gloria del Señor damos este testimonio, que no es sino la manifiesta presencia de Cristo que está vivo, que nos ama y que nos ve con ojos de piedad y misericordia.

27.- ¿Hay algún método o línea que usted sigue?

Método propiamente no. Yo siempre anuncio primero a Jesús y animo la fe. Luego oro por la sanación del pecado mediante la conversión, y hasta después hago la oración por las enfermedades físicas.

En ningún retiro he dejado de ver sanaciones sensibles. Pero esto no quiere decir que todos los enfermos deban ser sanados. Los milagros son signos del poder de Dios, que muestran que Jesús está vivo y sirven para el crecimiento de nuestra fe.

Dios nos quiere no sólo sanos, sino completamente sanos: del cuerpo y del alma, así como en nuestras relaciones interpersonales.

28.- ¿Qué consejo le daría a las personas que están trabajando en este ministerio de sanación?

El consejo es que no oren por sanación sin evangelizar. No debemos comenzar a orar por sanación física de golpe, sin preocuparnos de la vida espiritual del enfermo. Si ellos dicen que están muy lejos de Dios, debemos ayudarlos a que se arrepientan de sus pecados.

El caso del paralítico a quien primero se le perdonó el pecado y luego se le sanó, es clásico para trabajar en este ministerio.

Si nosotros oramos únicamente por sanación física y no nos preocupamos por la conversión del enfermo, hacemos un trabajo de veterinario: atender únicamente al cuerpo.

Es necesario preocuparse del perdón y de la sanación interior. Si el ministerio de sanación se reduce a la sanación física, sin preocuparse de la vida de fe no valdría la pena tener ese carisma.

29.- Se dice que usted conoce gente muy importante en todos los ámbitos: Reyes, Presidentes y Cardenales le han pedido oración y lo han invitado a su mesa. ¿Cuál es la persona más importante que usted conoce personalmente?

Para mí, el más importante es Jesús. Pero todos somos importantes porque somos hijos de Dios. No hay título más grande en este mundo que el de hijo de Dios.

Cada persona vale tanto, que Jesús dio su vida por ella. Hemos sido comprados al precio de la sangre preciosa de Cristo Jesús.

Toda la gente que me encuentro tiene importancia, pero el más importante de todos es Jesús, el Señor de Señores.

- Sí, Padre, pero nos referimos a una persona viva...

¡Jesús está vivo! Desde que resucitó al tercer día de la tumba está vivo para nunca más morir. Y no sólo eso: tiene vida para dar a todos los que crean en su Nombre.

Usted puede conocerlo también. El está llamando a la puerta de su corazón. Si usted escucha su voz y le abre la puerta, él entrará en usted y lo sentará en el banquete del Reino...

30.- ¿Cuál es el mensaje de Emiliano Tardif?

Yo sólo predico que Jesús es el único Mesías y que no debemos esperar a otro. La esencia de mi predicación es manifestar que Jesús está vivo hoy en su Iglesia.

Cada día creo que tengo menos qué decir, porque estoy dándome cuenta que lo esencial es ser un testigo de lo que hemos visto y oído. Cada día entiendo que lo importante no es hablar de Jesús, sino dejarlo actuar con todo el poder de su Santo Espíritu.

31.- Finalmente, dada la importancia tan grande que tiene el don de sanación y tanta gente que recurre a las Eucaristías cuando se ora por los enfermos, ¿qué es lo que Dios nos está queriendo decir a través de estos signos?

A través de estos signos el Señor nos viene a manifestar su victoria total. Jesús vino a liberar a su pueblo del pecado, pero además existen ciertas consecuencias del mismo así como la enfermedad y la muerte. Jesús da signos de su victoria sobre el pecado, sanando enfermos y resucitando muertos.

Jesús resucita glorioso del sepulcro y ahí es donde está el signo definitivo de su victoria porque la muerte entró en el mundo por causa del pecado", como afirma San Pablo (Rom 5,12).

Yo veo que cada sanación es un signo evidente de la victoria de Jesús. También es una manifestación del amor de Dios. Hay que recordar lo que dijo Jesús al paralítico: *"Tus pecados te son perdonados"*. Luego añadió: "*Para que sepan que el Hijo del hombre tiene poder en la tierra para perdonar los pecados, levántate, toma tu camilla y vete a tu casa.*": Mc 2, 9-11.

Para mí esta es la frase más clara para explicar el sentido de la sanación: demostrar la victoria de Jesús sobre el pecado.

El tiene poder para perdonar los pecados, y por tanto para destruir sus consecuencias.

Todos estos signos nos repiten una sola cosa: Jesús es el Mesías salvador de este mundo y no hay que buscar a otro. Este Mesías está vivo hoy, y da vida a quienes creen en su nombre.

Conclusión:

Quiero terminar este capítulo titulado "Entrevista", con lo que me sucedió en una ocasión al respecto de una entrevista.

Un día un periodista del semanario francés V.S.D. (Viernes, Sábado y Domingo) me pidió una entrevista para su publicación, que tiene un tiraje de 400,000 ejemplares.

El mismo dice que "para responder a las interrogantes de tanta gente que no puede encontrarlo", se dio a la "tarea de detective por cielo, mar y tierra por dos meses, antes de localizar al Padre Tardif por teléfono y fijar la entrevista en Santo Domingo".

Luego cuenta de su viaje al Caribe y después la travesía a Sabaneta:

"Una iglesia blanca y un puñado de casitas rosas y turquesa, a la falda de la verde montaña... y precisamente porque este caserío está desheredado de la tierra, el Padre Tardif lo visita para que no se priven del cielo".

A continuación aparece una foto del Padre Emiliano Tardif sonriente sobre un burro en un camino de la Isla caribeña, con el siguiente pie de foto: A lomo de mula, el Padre Tardif evangeliza a los campesinos.

Poco después que apareció este reportaje, fui a París, y algunas personas me comentaron que estaban extrañadas de que me dejara entrevistar por dicha publicación, que no es religiosa, sino más bien de temas ligeros y superficiales.

Estaban escandalizados de ver mi foto en medio de personajes de sociedad y de artículos poco cristianos.

Yo no repliqué a sus críticas, pero pensé que si Jesús se metía a casas de publicanos y le seguían las prostitutas, no había porqué tener miedo de esta situación.

Un año después, prediqué en Estrasburgo y tenía que ir luego a Dijón. Rogelio, un miembro de la comunidad "Pozo de Jacob", se ofreció a llevarme en su auto. En el camino, le pregunté cómo era que él había encontrado al Señor, y él comenzó a contarme la historia de su vida, en que por muchos años estuvo alejado de la fe y de todo contacto con la Iglesia.

Luego continuó: "Pero sucede que un fin de semana compré la revista V.S.D., donde encontré un artículo de un sacerdote que curiosamente se apellidaba como usted, Tardif. Me pareció interesante, pues hablaba de un Dios maravilloso que yo no conocía. Me llamó tanto la atención, que me informé dónde se reunía un grupo de Renovación.

Luego tomé el curso, donde tuve mi encuentro personal con Jesús que cambió mi vida. Allí conocí a ese Dios que me amaba y que quería mostrarme todo su perdón. Yo me arrepentí y le abrí las puertas de mi corazón para que viniera a salvar todo lo que estaba perdido. Me confesé y ahora soy otra persona".

Yo le aclaré:

- Pero ese Padre Tardif de la revista V.S.D. soy yo...
- ¿Cómo? ¿Es usted dominicano?
- De corazón sí, pero nací en Canadá.

Entonces le dimos gracias a Dios que se sirve de todos los medios, hasta de ese tipo de revistas, para acercar a sus hijos que experimenten el verdadero amor y no anden bebiendo agua en cisternas agrietadas, sino del verdadero pozo de agua viva.

Si yo hubiera publicado mi testimonio en *"Anales de la Propagación de la fe"*, Rogelio jamás hubiera encontrado al Señor, puesto que no era el tipo de revista que él compraba para divertirse. ¡Qué grande es el Señor! Sus caminos no son como los nuestros y sus criterios son diferentes a los nuestros.

5

NUEVA EVANGELIZACION

Hoy día el Santo Padre está hablando incansablemente de la Nueva Evangelización. A partir de la visita a Haití en 1983, donde por primera vez usó este término, no ha dejado de hacer alusión a este tema. Casi no hay ocasión en la que no se refiera a ella.

El Papa señala los tres aspectos en que la Evangelización debe ser nueva:

- Nueva en su ardor
- Nueva en sus métodos
- Nueva en su expresión

Notemos que no es nueva en su contenido. Definitivamente en esto no puede estribar la novedad. No existe otro Evangelio que el anunciado por el mismo Jesús y repetido por los apóstoles: Jesús es el único Salvador. No hay otro mediador entre Dios y los hombres.

El Evangelio es la persona de Jesucristo. La Buena Noticia es que *"tanto amó Dios al mundo que envió a su Hijo Unico, no para condenar el mundo sino para que se salve por él"*.

La Buena Noticia no es algo, sino Alguien: Jesús, que dio su vida por nosotros, pero al tercer dia resucitó de entre los muertos y está vivo para nunca más morir.

Así pues, su persona misma es el mensaje del gran amor de Dios para con nosotros, que aun siendo pecadores, entregó a su Hijo a la muerte, para que todo el que crea en él tenga vida. La Buena Noticia que da esperanza a cualquier situación o circunstancia, es que la muerte ha sido vencida por la resurrección de Jesús.

Si Jesús no hubiera pronunciado ningún discurso, o los evangelistas no hubieran grabado ninguna de sus enseñanzas, no por eso se devaluaría el mensaje central: él es la Palabra y su estilo de vida misma es el mensaje más grande y fundamental.

El Evangelio sigue siendo el mismo y lo será siempre. Aunque viniera un ángel del cielo y anunciara un Evangelio distinto a éste, sería falso y anatema, según la fuerte expresión de San Pablo (Gal 1, 7-9). Así pues, no necesitamos de un nuevo Evangelio, sino de una Nueva Evangelización.

Veamos pues que significa la novedad de la evangelización:

A.- Nueva en su ardor

Nadie puede tener ardor por la evangelización, si antes no ha tenido su encuentro cara a cara con Jesús resucitado. La razón es muy sencilla: la palabra ardor viene de arder y sólo podemos arder si estamos frente al fuego del Espíritu de Cristo resucitado. Los corazones de los discípulos de Emaús ardían cuando Jesús mismo les explicaba las Escrituras, y por eso regresaron a toda prisa a Jerusalén a dar testimonio de lo que les había sucedido por el camino.

Arder por el Evangelio es un elemento fundamental en la evangelización:

- Que el celo por la Casa del Señor nos consuma.
- Que, como Pedro y Juan, no podamos dejar de hablar de lo que hemos visto y oído.
- Que como Jeremías, exista un fuego prendido en los huesos que nos impulse a evangelizar a tiempo y a destiempo.

Para renovar el ardor se necesita volver al primer amor, aquel que nos sedujo y nos hizo entregarnos sin condiciones a Jesús. Sólo de esta manera estaremos dispuestos a cumplir nuestra misión profética, por más amarga o difícil que parezca.

Si nuestro corazón está ardiendo de amor por Jesucristo, nuestra boca proclamará necesariamente su mensaje de salvación y nuestra vida será un reflejo de la suya.

El predicador, más que tener teorías y doctrinas sobre Jesús, debe tenerlo a él en su corazón. Por esta razón el Papa Pablo VI decía que el mundo de hoy necesita más de testigos que de maestros.

Nuevos evangelizadores, incendiados por el fuego del Espíritu; testigos que no repitan lo que leyeron o estudiaron, sino que no puedan dejar de hablar de lo que han visto y oído. Que se les note que están llenos del Espíritu.

Dos seminaristas fueron a un retiro de Iniciación de la Renovación Carismática. Regresaron tan felices que fueron inmediatamente con el Rector a contarle todo lo que habían vivido. Aquel hombre los veía con desconfianza, pero los escuchó con atención y respeto.

De pronto, uno de ellos, con cierta imprudencia, le dijo: "Monseñor, ¿no quiere que oremos en estos momentos por usted para que reciba el Espíritu Santo?".

El, un poco enfadado, contestó: "El Espíritu Santo ya lo recibí cuando me bautizaron. Luego me volvieron a infundir el Espíritu el día de mi Confirmación, y además el día de mi ordenación sacerdotal, también...".

Después de unos segundos de tenso silencio, el otro seminarista añadió: "Entonces, Monseñor, ¿no podríamos orar para que se le note...?".

El ardor por el Evangelio nos lleva a ser incendiados en nuestro apostolado, de tal manera que a pesar del mucho trabajo, siempre hay una razón más fuerte: el amor.

A fines de 1984, después de predicar un mes seguido en Quebec, estuve en Francia. De allí pasé a Holanda, donde anuncié la Buena Nueva en Eindhoven y Rotterdam.

Aparte de lo intenso del trabajo, estaba el agravante de la traducción simultánea. Yo estaba tan cansado y con tanto frío, que comencé a pensar en mi casita de La Romana, con el agradable clima cálido del Caribe; aquella tranquila parroquia cerca del mar, mi comunidad, etc.

Pero durante mi oración matinal el Señor me dio una lectura de Santa Teresita que decía: "Si un día el amor llega a faltar, entonces los apóstoles no predicarán más el Evangelio". Yo lo entendí y dije: "Emiliano, no te compadezcas que todavía hay mucho trabajo..."

Después de una campaña de evangelización en Paraguay, terminamos el último retiro con una Misa de sanación en la gran cancha de deportes del seminario mayor. Se calculó que la asistencia pasaba de veinte 20,000.

Toda la Eucaristía fue transmitida por la televisión y mucha gente pudo ver las sanaciones que hacía el Señor y oír testimonios vivos de sanación, como el del doctor Galeano Duarte, de Caacupé:

"En la Misa del jueves pasado mostré a la multitud mis muletas que ya no necesitaba, pues podía caminar sin ellas... Antes, cuando la gente se me acercaba para orar por mi recuperación, yo le decía que esperara, pues Dios tiene un tiempo para cada quien. Pero el jueves fue mi hora y me curé. Ya estuve caminando por las calles de Asunción. Siento que mis piernas se van fortaleciendo más y más. Me siento muy feliz de poder caminar.

De acuerdo al diagnóstico de los médicos, pensaba que pasaría el resto de mi vida con mis muletas. No podía dar un paso sin ellas, y ahora me he curado. Por eso: "¡Gloria al Señor!".

Al otro día regresaba a Santo Domingo, vía Miami, con mi compañero de evangelización. Llegando al avión, nos reconocieron y nos ofrecieron sentarnos en primera clase, aunque nuestros boletos eran de clase turista. Aceptamos agradecidos tanta gentileza. Después de haber despegado el avión, se me acercó el copiloto, pidiendo si podía hablar conmigo y hacer yo una oración por él. La hice un poco más rápido de lo normal, para que él se fuera a cumplir su trabajo y también para yo poder descansar un poco...

Cuando terminé, el responsable de la cabina me dijo: "Padre, escuché ayer los testimonios de las sanaciones por la televisión. ¿Podría orar por mí?". Pensé: "Aquí voy a dar otro retiro". Hablamos y oramos juntos. Luego que se levantó me dijo: "Padre, las azafatas se mueren de ganas de hablar con usted". Repuse: "Que vengan". El me contestó: "Es que ellas no pueden venir a sentarse aquí, en primera clase...". "Entonces" -pregunté- ¿Dónde puedo hablar con ellas?" "Si usted lo acepta, Padre -me dijo- podría venir a la cocina del avión...".

Me levanté, dejando mi cómodo asiento de primera clase, para ir a la cocina del avión. Cerraron la cortina y me sentaron en un banco tan alto que me colgaban los pies. El asiento era de lámina y yo apenas cabía. Me dijo la primera: "Anoche participé en su Misa y tenía muchos deseos de hablar con usted...". La otra contó que había seguido la Misa por televisión y tenía el deseo de recibir una dirección espiritual. Así se turnaban todas y se suplían en sus responsabilidades para que yo orara por cada una. Yo no podía acomodarme en aquel banco donde me pasé más de una hora, mientras me reía de haber caído en la trampa de aceptar el asiento de primera clase.

Luego, al regresar a mi asiento, le dije a mi compañero: "Demos gracias a Dios que no se le ocurrió al piloto del avión pedir una entrevista".

Cuando nuestra pasión es Jesús, se puede evangelizar siempre y en cada circunstancia. A veces no nos queda ni tiempo para descansar, pero si nuestro descanso es el Señor, todo se mira diferente.

B.- Nueva en su método: Kerygma y Catequesis

El método es el camino pedagógico para anunciar el Evangelio. La Buena Nueva tiene un sistema ordenado con etapas bien definidas y claras. En el proceso integral de evangelización podemos y debemos distinguir claramente dos momentos sucesivos que, aunque son interdependientes, son diferentes:

- El Kerygma, que es el anuncio de la persona de Jesús.
- La Catequesis, que es la trasmisión del Depósito de la fe.

Si tomamos como punto de partida los seis discursos Kerygmáticos de los Hechos de los Apóstoles (Hech 2, 14-39; 3, 12-26; 4, 9-12.20; 5, 29-32; 10, 34-43; 13, 16-41) nos daremos cuenta que el contenido del Kerygma es diferente al de la Catequesis.

El Kerygma o Primer Anuncio, base de nuestra fe, se centra en la proclamación de Jesús, con sus tres acontecimientos más importantes: muerte, resurrección y glorificación, así como sus tres títulos más grandes: Salvador, Señor y Mesías.

No se trata, pues, de una doctrina que debe ser comprendida por el entendimiento, sino de una persona que debe ser aceptada libremente por la fe.

En el Kerygma no se habla de algo, sino de Alguien. La base insustituíble del cristianismo es Cristo Jesús. Sin esta base, todo lo que se edifique encima (sea Catequesis, Moral o Teología) sería como construir sobre arena. Una de las primeras definiciones del cristianismo no fue filosofía, ni doctrina, ni enseñanza, sino *"vida"*: Hech 5, 20.

El Kerygma nos lleva a un encuentro personal con Cristo resucitado y a una experiencia de su salvación, que nos hace creaturas nuevas por la fe y la conversión. Nuestro gran error metodológico en la pastoral evangelizadora, es insistir en enseñar y catequizar a quienes todavía no han nacido de nuevo.

En un viaje de predicación en Egipto visitamos las imponentes Pirámides. Allí nos contaron que para el viaje al más allá del difunto, le dejaban exquisitos platillos de alimentos. Desgraciadamente se desperdiciaba tan rico alimento, porque el muerto jamás podía siquiera probarlo.

Eso mismo pasa cuando damos el rico alimento de la Doctrina, la Moral y la Ortodoxia a quienes todavía están muertos, porque no han tenido la experiencia de la Vida en abundancia que Cristo vino a traer a la tierra.

Por eso, cuando Jesús llegó a la casa de Jairo, donde su hijita de 12 años acababa de morir, lo primero que hizo fue resucitarla y hasta después les ordenó que le dieran alimento. Hay quienes piensan que es comiendo como los muertos resucitan, y así no es.

Muchas veces nuestra estructura doctrinal es perfecta, pero se da por supuesto algo que no siempre está de hecho.

Había un sacerdote muy activo y dinámico que le gustaba organizar la liturgia con mucho esmero. Pero como él lo quería hacer todo, siempre se le olvidaba algún aspecto.

Un día organizó una procesión con el Santísimo Sacramento.

Había puesto atención en todos los más mínimos detalles: el coro, los monaguillos, los cantos, las velas, el incienso, el orden, etc.

La ceremonia comenzó con puntualidad. El órgano tocaba, la gente cantaba y todos marchaban en orden, mientras el suave aroma del incienso daba un toque de solemnidad y recogimiento. Vestido con capa pluvial y cubierto por el palio sostenido por cuatro acólitos bien vestidos, el sacerdote llevaba respetuosamente la custodia en alto.

Cuando ya terminaba la procesión, un acólito se le acercó queriendo hablarle. El sacerdote se resistía, pues esto salía de su esquema y organización. Sin embargo, ante la insistencia del acólito, preguntó qué pasaba. "Padre - le dijo el monaguillo- se le olvidó poner la Hostia en la custodia...".

El sacerdote bajó la custodia para verificarlo y se dio cuenta de que en verdad lo había omitido. No pudo contenerse y exclamó en voz alta:"¡Siempre se me olvida un detallito!".

A veces tenemos todo bien organizado. Nuestros esquemas pastorales son fabulosos, nuestros planes están bien hechos. Todo está perfecto... pero se nos olvida "el detallito...".

En 1985 hablábamos de este tema a un grupo de misioneros del Japón. Uno de ellos comentó: "Ese es el punto central para evangelizar estos países. Mientras no les presentamos primero el Kerygma, estamos condenados a trabajar con el mínimo fruto".

Después, el Obispo emérito de Fukuoka reconoció: "Hemos construido cuidadosamente nuestras estructuras, pero a veces se nos ha olvidado presentar el encanto de Jesús".

La Catequesis, para dar abundante fruto debe estar en su lugar: siempre después del anuncio kerygmático. Para que la vida crezca, es necesario que antes haya nacido. A la vida Nueva se nace por la respuesta de fe y conversión al mensaje de salvación.

La catequesis no incluye ni menos suplanta al Kerygma. Lo supone. Dar catequesis sin antes haber trasmitido el Kerygma es olvidar "el detallito".

No basta la información de la catequesis es necesario que el Espíritu Santo forme la imagen de Cristo en nosotros.

Desgraciadamente en la formación de un cristiano a veces se nos olvida "el detallito" que ha venido a ser la piedra angular de la vida cristiana. En la Iglesia Católica tenemos la riqueza del Depósito de la fe, la Enseñanza de los Apóstoles, el Magisterio de la Iglesia, la vida sacramental, etc., pero todo eso tiene una base: la persona de Jesús que murió y resucitó. El es la piedra angular sobre quien se edifica toda la obra.

Si no construímos sobre esa roca firme, ante la menor tempestad o viento borrascoso se vendrá abajo el edificio y será grande su ruina.

C.- Nueva en su expresión

Para entender esto debemos mirar fijamente a la persona de Jesús, el primer y más grande evangelizador, para darnos cuenta cómo era que él trasmitía la Buena Nueva de la salvación.

Jesús presentaba el Evangelio de una manera muy sencilla. San Mateo resume maravillosamente la actividad de Jesucristo en un texto muy hermoso:

Jesús recorría toda la Galilea enseñando en sus sinagogas,
proclamando la Buena Nueva del Reino
y sanando toda enfermedad y dolencia en el pueblo.
Mt 4,23. y 9,35.

La evangelización de Jesús comprendía dos aspectos fundamentales: el anuncio de la Palabra y la sanación de los enfermos.

a.- Anuncio de la Palabra

Hoy en día algunos piensan que basta el testimonio de vida y que ya no es necesario proclamar la Palabra. Sin embargo, no ha existido testimonio de vida más auténtico que el de Jesús, y él de todos modos anunciaba la Palabra, recorriendo pueblos y aldeas.

El número 22 de la *Evangelii Nuntiandi* afirma que aunque el testimonio de vida es la primera forma de proclamar la Buena Nueva, es insuficiente y debe ser acompañado por la Palabra de vida.

No hay verdadera evangelización mientras no se anuncie el Nombre, la doctrina, la vida, las promesas, el Reino y el misterio de Jesús, Hijo de Dios. El mensaje es la persona de Jesús.

b.- Curación de enfermos

Jesús realizaba signos y prodigios que congregaban multitudes, y a esas turbas les dirigía la Palabra de salvación.

Existen personas que sostienen que lo importante es proclamar la Palabra y que los signos milagrosos no son necesarios. Sin embargo, muchos templos están vacíos porque a la gente no le basta oír la Palabra; quiere constatar la eficacia de la misma. Necesita manifestaciones que revelen el triunfo de Cristo Jesús sobre el pecado, la enfermedad y la muerte.

Cuando anunciamos la Palabra con signos, se congregan multitudes no sólo para escuchar, sino ver que se cumple la Palabra de Jesús, y entonces están más abiertas a responder al mensaje de salvación con un acto de adhesión a la persona de Jesucristo como Salvador y Señor.

Cuando predicamos de esta manera suceden cosas como las relatadas en *EL Diario* de Asunción, Paraguay, el 22 de abril de 1985, en su artículo titulado: *"La fe convocó a más de 40,000 fieles".*

"Con un poder de convocatoria insólito, teniendo en cuenta la no promoción de la venida del sacerdote carismático canadiense a nuestro país, se congregaron más de cuarenta mil personas en el estadio del Club Cerro Porteño.

La campaña de evangelización de la Renovación Carismática a través de la predicación del Padre Tardif, significó un gran espectáculo de fe en Cristo Jesús. El referido local fue pequeño para la gran cantidad de personas que llegó con deseos de participar en la ceremonia; mucha gente quedó afuera. Miles de personas siguieron el acto a través de la transmisión de televisión.

Puede decirse con toda honestidad que el Canal 13 batió el récord en lo que se refiere a "rating", según los comentarios surgidos en la víspera.

En la actualidad la Iglesia Católica tiene un gran poder de convocatoria para todos los fieles, ya que sin un gran despliegue promocional, el país entero estuvo pendiente de su mensaje y de sus oraciones.

Cabe señalar, además el auge que va teniendo en la actualidad el Movimiento de Renovación Carismática Católica en el país y el mundo. En forma silenciosa va extendiendo su influencia de manera sorprendente. Este movimiento dentro de la Iglesia se ocupa de reivindicar el poder de la fe en el mundo cristiano".

Los signos acompañan la proclamación del Kerygma, pero nunca hemos visto signos que acompañen las tesis teológicas, ya que éstas se sostienen con sus argumentos mismos. Ahora, al volver a predicar el Kerygma vemos estos signos que convocan tanta gente que crean problemas que deben ser solucionados con vision del futuro.

Cuando la Palabra va acompañada de signos, el problema no es cómo hacer para que la gente venga, sino qué hacer con tantos que llegan. Es curioso el telegrama que me enviaron el 4 de mayo de 1986 de Elizabeth, New Jersey, (Estados Unidos), que decía lo siguiente:

> Favor de no venir a predicar en el evento del 13 al 18 de mayo de 1986. No podemos encontrar un lugar lo suficientemente grande para toda la gente que desea escuchar la Palabra del Señor. Sinceramente.
>
> Padre Roberto Trabold.

Las sanaciones y los milagros no son apéndices secundarios en la evangelización, ya que a través de ellos se muestra la eficacia de la Palabra proclamada. Antiguamente se decía que los milagros eran para probar la veracidad de la doctrina. Sin embargo, tienen una función todavía más importante: mostrar actuando al Dios que predicamos. Es la salvación en acto.

Así pues, los signos milagrosos y las sanaciones se nos presentan como una maravillosa oportunidad de manifestar la acción de Dios, y no sólo hablar de un Dios a quien nadie puede ver ni constatar su acción.

En un congreso ecuménico, un Obispo de Pakistán nos decía muy convencido:

> Tengo más de 25 años trabajando en Pakistán. Puede que yo séa la persona que ha convertido más musulmanes: unos 1000 en todo mi ministerio.
>
> Al final de mi carrera me doy cuenta que si a los musulmanes no les predicamos el Evangelio con los signos y prodigios que muestren que nuestra religión no es una ideología, sino una realidad, se perdería el tiempo al

ministrar entre ellos, pues son una cultura anticristiana, pero no anticristo.

Por su lado, un delegado de Irlanda añadió:

Antes, el hombre levantaba su mirada al cielo ante cualquier problema y dificultad. Frente una epidemia, se hacía una cruzada de oración. Si no llovía, la gente organizaba jornadas de intercesión para suplicar a Dios el agua.

Hoy día las vacunas y las presas nos han hecho olvidar a de Dios. Pero lo peor es que se prescinde de El en otras esferas más trascendentes. A veces se quiere construir el Reino con simples técnicas y organización. Pero si es cierto que entre los musulmanes se necesita esta clase de signos, yo afirmaría que para el mundo occidental y desarrollado son aún más necesarios.

El hombre vive a expensas de sus propias fuerzas y necesita experimentar que existe el poder de lo Alto: la fuerza del Espíritu Santo.

Personalmente creo que la nueva expresión para predicar el Evangelio, sería que la Palabra fuera acompañada de signos de poder.

Así predicaba Pablo (1Tes 1,5). Incluso los milagros autentificaban su ministerio apostólico (2 Cor 12, 12). Como que no puede haber verdadero o completo apóstol sin estos signos.

Yo creo que Jesús no ha cambiado su pastoral y por eso hoy día sigue manifestándose con poder frente al hombre contemporáneo. Jesús no ha cambiado su método pastoral, porque es eficaz.

El no necesita congresos de Pastoral o semanas de "aggiornamento" o "reciclaje" porque su método todavía funciona y no hay nada mejor que lo pueda suplantar. Sigue curando, convoca multitudes, se predica la Palabra y quienes se abren a la fe,se convierten.

El 23 de diciembre de 1987 me escribió el Padre Paul Pegeaud, de Issia, Costa de Marfil, diciendo:

La jornada de evangelización ha dejado una profunda huella en la parroquia. Me lamento de no haber convocado a más paganos; ya que cada pagano curado ha llegado a ser un catecúmeno.

Ha habido curaciones espectaculares como la de un niño jorobado de cuatro años . El estaba en los brazos de su papá, que es médico. Cuando comenzó la oración por los enfermos, comenzó a sudar abundantemente. Cayó a tierra y se agitaba como si estuviese en una olla de agua hirviendo.

Luego sintió que algo lo estiró de la cabeza y las manos y se levantó por sí mismo.

Entonces le dijo a su papá: "Papá, tú sí que eres un buen médico". Su Padre le respondió emocionado: "Pero es que yo no te curé. Ha sido Jesús de Nazareth...". Cuando regresaba a su casa el papá intentó tomar un poco de licor, pues era muy afecto a él, pero su boca rechazó el sabor y de esa manera quedó libre del alcoholismo.

Tenemos otros casos muy hermosos de reconciliación familiar y de perdón.

Nosotros les habíamos predicado muchas veces que Jesús había resucitado y daba vida, pero ahora tenemos muchos testigos que así lo confirman. Nosotros habíamos leído y predicado muchas veces las curaciones que narra el Evangelio, pero ahora ellos las han visto con sus propios ojos. El Evangelio ha cobrado un nuevo valor para los creyentes y ha sido un asombro para los paganos.

Hay quienes critican las exageraciones en el ministerio de sanación. Yo también lo hago, porque a veces existen. Pero los que señalan los extremos también deberían referirse a quienes exageran por defecto, es decir a quienes jamás toman en cuenta este aspecto evangélico. Para mí es más peligrosa esta última exageración, pués nos lleva a olvidarnos que existe el poder de Dios para manifestar la salvación al hombre de hoy.

A veces, por visión miope se piensa que la curación es todo y no se descubre su valor. No se perciben los alcances que tiene un signo como éste: la curación suscita una reacción en cadena en diferentes áreas de la vida de la persona y de quienes la rodean, como se muestra en el siguiente caso:

> En Santiago de los Caballeros, República Dominicana, el otoño de 1987 ocurrió una sanación muy grande. Oscar Lama tuvo un accidente de automóvil, a raíz del cual quedó en estado de coma durante dos meses. Lo llevaron a un famoso hospital de Pittsburg, en los Estados Unidos, donde pasó varias semanas.
>
> Luego, cuando constataron que nada se podía hacer, pues se le había desprendido la masa encefálica, lo devolvieron a su patria. Si lograba salir del estado de coma tendría vida vegetal, sin ninguna característica humana.
>
> En una Misa de sanación en la Catedral de Valverde, su papá nos pidió que fuéramos a su casa a orar por su hijo. Fuimos el párroco de la Catedral y yo. Oramos unos cinco u ocho minutos al Señor para que lo sanara. Era impresionante ver aquel ser humano totalmente inmóvil, que no reaccionaba ante ningún estímulo ni tenía el menor movimiento propio.
>
> Al otro día, por la mañana, Oscar llamó a sus padres. Fue una emoción muy grande oirlo hablar. A la semana miraba los programas deportivos de televisión y recordaba el nombre de los peloteros famosos que él conocía. Le regresaron la memoria y las demás facultades mentales.

Luego se levantó y gracias a una intensa terapia y ejercicio comenzó a caminar.

Hoy en día Oscar Lama realiza su trabajo profesional con toda normalidad.

Esa sanación ha sido para la familia entera un llamado a la fe; incluso un amigo muy íntimo de él que iba a visitarlo, quiso confesarse conmigo. Cuando Oscar regresó a la Iglesia, su amigo hizo su primera comunión junto con él. Toda la familia fue tocada espiritualmente a través de esta sanación.

Pasó lo que en las Bodas de Caná donde San Juan dice: *"Jesús manifestó su gloria y sus discípulos creyeron en él".* Este signo despertó la fe en los que le rodeaban. La sanación se convirtió en un instrumento de evangelización.

D.- Nuevas formas de evangelizar

Debemos buscar nuevas formas de predicar el Evangelio. No basta con lo que hemos hecho hasta el día de hoy. Es necesario predicar en los estadios, hablar por medios poco explotados por los católicos, como el radio y la prensa. La imaginación nos debe llevar a buscar nuevas expresiones del Evangelio a través de la música, el arte y la cultura.

Ya no podemos quedarnos esperando a que la gente venga a la Iglesia. Es necesario salir. Jesus dijo: *"Vayan y proclamen".* No dijo: "Esperen a que los demás vengan a ustedes". Los estadios, las plazas, los centros comerciales y toda reunión social pueden ser centros de evangelización.

Nuestra comunidad, *"Siervos de Cristo vivo"* está evangelizando a través de la televisión. A pesar de que es un ministerio muy costoso y que no tenemos los recursos necesarios, estamos dando pasos en fe.

Así como Moisés no esperó a tener el oro suficiente para comprar los alimentos que necesitarían para su travesía por el desierto, sino que dio el paso en fe, así nos hemos lanzado nosotros. Oro y plata no tenemos, pero lo que tenemos eso es lo que damos: Jesús, con la ventaja que es lo único que la gente necesita. Contamos con el mejor artista del mundo: aquel que hizo de su vida y de su muerte una obra de arte. Con eso basta. Si nosotros ponemos lo poquito que tenemos, ¿el Señor nos va a fallar?

Nuestro programa comenzó en una televisora local; ahora se difunde a nivel nacional todos los días. Incluso hemos tenido testimonios de todo tipo.

> Una señora estaba en la cocina de su casa, viendo el programa evangelizador en la televisión. A la hora de la oración por los enfermos, ella se arrodilló y pidió por el hijo que había deseado tener desde hacía diez años de matrimonio. En ese momento sintió una emoción muy fuerte y un calor que la invadió. El Señor le sanó del problema que causaba su esterilidad.
>
> Al poco tiempo el matrimonio estaba esperando. El bebé que nació en perfectas condiciones y lo bautizaron con el nombre de Emmanuel. Cuando supimos de ese caso los invitamos a la televisión. Mientras ella contaba el testimonio la cámara enfocaba el rostro del pequeño, que estaba en los brazos de su padre. En verdad fue un testimonio muy bello.

Hay que usar todos los medios para evangelizar. Yo sé de una persona en Santiago de los Caballeros que escuchando en cassette la oración por los enfermos, fue curada por el Señor. A través de este medio puede llegar el mensaje a personas que no saben leer o a los que simplemente no les gusta hacerlo.

El teléfono también ha sido un medio de evangelización. Nosotros tenemos en la Casa de la Anunciación un teléfono durante el día para recibir llamadas de personas necesitadas, alguna desesperadas y hasta al borde del suicidio. A través del teléfono las evangelizamos y oramos por ellas, obteniendo resultados maravillosos.

He aquí una carta que recibí:

21 de febrero de 1983.

Respetable Padre:

No tengo con qué pagar a Dios la curación de mi hija María Guadalupe.

En el año 1978 usted vino a esta ciudad de Guadalajara, a un retiro de Sacerdotes. Como me fue imposible verlo, investigué dónde estaba hospedado y le dejé un mensaje pidiéndole que orara por mi hija, que tenía tumores en ambos pechos y que los médicos habían decidido quitárselos.

Llevaba apenas cuatro días de su tratamiento hormonal cuando yo supe que usted estaba aquí y me atreví, como la mujer hemorroísa, a solicitarle que si le quedaba un poco de tiempo, pudiera comunicarse y orar por mi hija.

Usted fue tan gentil que así lo hizo. Cuando mi hija habló con usted, ella lloraba de felicidad.

No pasó ni una semana cuando nos dimos cuenta de que ya no tenía ningún tumor.

Han pasado cinco años desde entonces y no ha vuelto a tener molestias. Desde el principio dimos gracias a Dios por ello.

Que Dios le bendiga por esa gran ayuda que nos prestó, sin importarle el cansancio que seguramente tendría con tanto trabajo. Dios es tan grande que se valió de esa llamada para llenarnos de felicidad a todos.

Ma. Dolores S. de Reyes.

El siguiente testimonio es de una señora que me habló de larga distancia desde España hasta la República Dominicana:

A principios de 1982, después de buscarle por muchas partes, pude hacer el enlace telefónico. Después de unos instantes de espera me contestó usted del otro lado del Atlántico. Le presenté mi pena por la enfermedad de mi esposo y usted no me dijo que iba a orar por él sino que en ese preciso momento hizo una pequeña oración por él.

Quiero comunicarle ahora que mi esposo ha sanado perfectamente de su mal, y yo me doy cuenta que para el Señor no hay largas distancias.

También el Señor se ha manifestado a través de cartas. Como recibo mucha correspondencia pidiendo oración y no tengo tiempo para leer todo, una religiosa se encarga de contestar asegurando que el próximo viernes primero ofreceré la Eucaristía por quienes han solicitado oración. Pues bien, hace pocos meses recibí una carta de Brasil donde una senõra decía lo siguiente:

Querido Padre Emiliano: Hace tiempo le escribí contándole mi pena y mi sufrimiento. Tuve la alegría de recibir una carta suya, en la que me prometía su oración en la Eucaristía del viernes primero. Padre, quiero decirle que precisamente ese día fui sanada de mis males. Que Dios lo bendiga en su ministerio.

A pesar de que yo no leí esa carta, el Señor sí la leyó y atendió a esa mujer.

La nueva expresión no son los métodos ni los instrumentos que utilizamos en la evangelización sino contar con el poder el Espíritu Santo y usar todo instrumento a nuestro alcance para comunicar la Buena Nueva.

E.- La Nueva Evangelización es integral:

Todo el Evangelio para todo el hombre y todos los hombres.

a.- Todo el Evangelio

El Evangelio es Jesús. No hay otro. Pero no debemos olvidar el misterio de su Cuerpo. Jesús forma un cuerpo con su Iglesia; por eso no se puede evangelizar integralmente, si reducimos el Evangelio sólo a la presentación de la persona de Jesús y nos olvidamos de su cuerpo que es la Iglesia.

El hizo extensiva su misión a los suyos: *"Como el Padre me envió, así también yo los envío":* Jn 20, 21.

Desde entonces, la forma como se hace presente y efectiva la salvación de Jesús es a través del ministerio de la Iglesia. Por tanto, separar el cuerpo de la cabeza es traicionar el Evangelio

Omitir el aspecto eclesial sería separar el matrimonio Cristo-Iglesia.

Cuando un escriba preguntó a Jesús sobre el primer mandamiento, él contestó: "El primer mandamiento es amar a Dios, pero el segundo es amar al prójimo". Es decir, "el" mandamiento más grande son dos inseparables. Desde entonces la relación con Dios implica una relación con los demás miembros del Cuerpo.

Por otro lado, el Evangelio completo incluye también los signos de poder que muestran que el Reino ha llegado. No podemos omitir los carismas del Espíritu, so pena de mutilar el Evangelio.

En una ocasión, un Obispo me invitó a dar un retiro sacerdotal en Canadá, pero con la condición de que no orara por sanación física y que no tocara el tema de los carismas, especialmente la curación.

Yo le sugerí que invitara a un predicador que no hablara del ministerio de sanación, pues yo no podía dejar de hablar de lo que había visto y oído. Entonces el Obispo me respondió: "Venga y predíquenos el Evangelio completo".

En la primera charla tomé el texto donde San Mateo sintetiza la pedagogía evangelizadora de Jesús.: *Recorría Jesús toda Galilea, enseñando en sus sinagogas, proclamando la Buena Nueva del Reino, y curando toda enfermedad y dolencia en el pueblo: Mc 4,23.*

Luego añadí: "Jesús no ha cambiado su metodología. Nosotros no podemos inventar un método mejor que el suyo. Suprimir un elemento del Evangelio es creer que nuestros métodos son mejores que los de Jesús. Suprimir las sanaciones es una traición al Evangelio".

b.- Para todo el hombre

El Evangelio debe alcanzar no sólo la transformación del corazón, sino igualmente todo lo que atañe a la persona humana.

El hombre es cuerpo, alma y espíritu; por tanto, la salvación debe asumir al ser humano completo.

Jesús no vino a salvar almas, sino personas que son cuerpo y alma. En mi experiencia he visto que Dios tiene dos caminos:

- El del paralítico: primero le perdona los pecados y luego le sana su cuerpo. (Mc 2, 9-12).
- El del ciego de nacimiento: primero lo sana y luego lo transforma interiormente. (Jn 9).

El plan de Dios es abarcar al hombre completo. Por tanto, la evangelización debe ser salvífica en todos los aspectos de la vida humana: alcanzar a todo el hombre: liberación del pecado, de la ignoracia y de la muerte. Pero también debe satisfacer las necesidades fundamentales de todo hombre: alimento, vestido, salud y vivienda digna como hijo de Dios.

c.- Para todos los hombres

La evangelización que es salvífica debe ser también liberadora: alcanzar todas las estructuras humanas:

- La vida política, económica y social.
- Transformación de estructuras injustas e inhumanas.
- Influir en las culturas, preñándolas de los criterios y valores del Evangelio.

Dios dispuso liberarnos y salvarnos no como individuos aislados, sin ningún nexo de unos para con los otros, sino que formó un pueblo.

El Evangelio, pues, debe transformar las relaciones de los individuos y de los pueblos, instaurando la civilización del amor: un cielo nuevo y una tierra nueva.

El poder del Evangelio llega a su máxima expresión cuando habiendo cambiado individuos, éstos son "capaces de transformar con la fuerza del Evangelio los criterios de juicio, los valores determinantes, los puntos de interés, las líneas de pensamiento, las fuentes de inspiración y los modelos de vida de la humanidad": Evangelii Nuntiadi #19.

Lo que mejor puede resumir lo que significa esta Nueva Evangelización integral es lo siguiente: Hace algunos años estuve en la Diócesis de Mons. Carlos Talavera, predicando un retiro de fin de semana. Allí había más de 20,000 personas deseosas de escuchar la Palabra de salvación y de ver la eficacia de la misma. Después que predicamos la Palabra de vida y el Señor curó a muchos enfermos, el Obispo dijo a aquella inmensa multitud:

> Evangelizar no es sólo hablar de Jesucristo, sino permitirle actuar para que instaure su salvación en este mundo. Evangelizar es sembrar la actividad salvífica de Jesucristo. Al mundo no le basta que hablemos de Jesús, sino que necesita verlo actuar. De otra manera no van a creer en él.

Si por un lado al mundo no le bastan palabras y necesita hechos, por otro no es suficiente nuestro testimonio personal: la salvación de Jesucristo tiene que hacerse efectiva en todos los ámbitos de la vida humana.

Estamos llamados a cambiar los centros de interés, los modelos de vida y los valores que determinan la conducta de los hombres. Entonces sí se podrá dar cuenta el mundo de que el Reino ha llegado, y que Jesús realmente es el Mesías que ha venido a traer un nuevo estilo de vida entre las personas, los grupos y las naciones.

Evangelizar es dejar sembrada la actividad salvífica de Jesucristo, para que con la fueza de la semilla que crece por sí misma vaya fecundando la realidad humana para que cumpla el designio de Dios en este mundo.

Evangelizar es rescatar todo aquello que se encuentra en las garras de Satanás, sea por el esoterismo y el ocultismo, o por contacto con todo tipo de curanderismo y espiritismo. No digamos por culto satánico, que se va extendiendo más y más. Sin embargo, la principal arma del enemigo es la mentira, y nos engaña haciéndonos creer que sólo está en ese tipo de cosas. También está en el consumismo, la codicia, la injusticia, el armamentismo, la pornografía, el aborto y todo tipo de corrupción y ambición desmedida.

El enemigo tiene mil dulces formas de engañarnos: hoy en día hay sistemas que están bajo el poder de Satanás. El nazismo fue uno de ellos. Pero ciertas formas de capitalismo, de socialismo y regímenes totalitarios, así como la Seguridad Nacional llevada a extremos donde se violan los derechos de la persona humana, hecha a imagen y semejanza de Dios, son igualmente antievangélicas.

El Evangelio no es una evasión de la realidad, sino un fermento que transforma nuestra vida económica, política, social, comercial y eclesial...

Entonces sí podremos afirmar que el Reino ha llegado y es lo que determina la vida de la sociedad.

F.- La Nueva Evangelización, obra del Espíritu Santo

La evangelización es una obra eminentemente divina porque se trata de instaurar el Reino de Dios en este mundo, mientras que por otro lado se engendra la vida divina en el corazón de los hombres. Y esto no es posible sin el concurso de la acción del Espíritu Santo.

El papel del Espíritu Santo es imprescindible, tanto en el evangelizador como en el evangelizado:

a.- En el evangelizador

Lo unge con su poder, para que la Palabra pronunciada sea capaz de llegar al corazón de los oyentes como una Palabra eficaz, capaz de convertir. No es nuestra retórica, ni las figuras literarias, ni las dotes oratorias, ni la facilidad de palabra, lo que convence a las personas.

El Espíritu Santo puede reutilizar todo esto, pero en definitiva el agente principal de la Evangelización es él.

La evangelización siembra la vida divina y esto es una acción propia del Espíritu Santo. Ciertamente necesita de nuestra colaboración, pero sin el Espíritu Santo nuestro esfuerzo y buena voluntad no serían capaces de transformar el mundo ni el corazón de las personas. *"Si el Señor no edifica la casa en vano se cansan los constructores":* Sal 127,1.

Pablo, Apolo y cualquier otro evangelizador no son sino instrumentos, pero el único que da el crecimiento es Dios. Nosotros no somos capaces de convertir a nadie. Esa es la obra propia del Espíritu Santo.

En una ocasión, un famoso predicador muy fogoso estaba impartiendo un retiro cuaresmal en un templo repleto de gente. Estaba muy emocionado y hacía grandes ademanes, usando bellas figuras literarias y citando a grandes pensadores del cristianismo.

Al terminar su predicación regresó a la sacristía, a reposar un poco. Se sentó en un cómodo sillón y se desabrochó el cuello clerical. Como si hubiera librado una gran batalla, relajó su cuerpo y estiró sus piernas. De pronto, entró una viejecita que de improviso le dijo: "Padre, ahora si estoy dispuesta a cambiar de vida. Le entrego mi vida al Señor Jesús".

El sacerdote, con aire de satisfacción, por constatar inmediatamente los frutos de su elocuente predicación, preguntó: "¿Y cuál fue la palabra de mi sermón que te convenció para convertirte?".

Ella contestó con franqueza: "No, Padre, no fue nada de lo que usted dijo, sino que cuando en medio de tanto calor usted saco su pañuelo blanco, yo reflexioné y me dije: Magdalena, y tu alma tan negra... Pero cuando se sanó la nariz, fue tan fuerte el estruendo por el micrófono, que me hizo recordar las trompetas del juicio final y entonces decidí inmediatamente confesarme..."

A veces el Señor se sirve de "las trompetas del juicio final" para tocar un corazón. Sus caminos son siempre originales. Se sirve de cualquier circunstancia o detalle.

b.- En el evangelizado

El Señor que toca la puerta del corazón, al mismo tiempo da la gracia para que se le abra: Cuando Pablo predicaba en Filipos, había una mujer llamada Lydia que escuchaba con mucha atención. Pero San Lucas aclara que *"El Señor le abrió el corazón para que se adhiriese a las palabras de Pablo":* Hech 16, 14. Dios da la gracia para responder a su llamado.

La fuerza de la Renovación Carismática radica en la experiencia del poder del Espíritu Santo. Sabemos que la obra de Dios no depende de nuestras fuerzas o capacidades, pero que tampoco se detiene por nuestras limitaciones o defectos. Dios es aún más grande que todas nuestras miserias.

La Nueva Evangelización es eficaz cuando está animada por el viento huracanado de Pentecostés. Esta es la piedra de toque de una evangelización eficaz. El secreto del éxito de Pedro cuando convirtió a 3,000 personas aquella mañana gloriosa, fue porque acababa de bajar del Cenáculo, con la plenitud del Espíritu Santo y sus carismas.

Por eso afirma el Papa Pablo VI: "Las técnicas de Evangelización son buenas, pero ni aun las más sofisticadas pueden suplir la acción discreta del Espíritu Santo" E.N. 75.

El Kerygma o evangelización fundamental culmina con una experiencia del poder del Espíritu Santo. El nuevo nacimiento es obra del Espíritu Santo. Por eso sin él no puede haber completa evangelización. Hemos pretendido convencer con la verdad en vez de que lo haga el Espíritu Santo.

G.- Nuevos evangelizadores para una Nueva Evangelización

Ciertamente necesitamos una Nueva Evangelización en la línea antes indicada. Pero no puede haber Nueva Evangelización, sin nuevos evangelizadores que comuniquen lo que han experimentado. D. Dino decía en la Misa de Clausura del Congreso Nacional de Renovación Italiana en Rímini, ante 40,000 personas: "Vayan y proclamen que Cristo está vivo":

> En esta Eucaristía que concluye nuestro Congreso, mientras elevamos nuestro himno de agradecimiento al Padre, por todo lo que hemos visto con nuestros ojos, por lo que hemos contemplado y por lo que nuestras manos han tocado, no nos resta, como a los apóstoles, sino anunciar al mundo con

fuerza esta maravillosa experiencia, contando lo que Cristo resucitado ha hecho por nosotros.

Desde el día en que delante del sepulcro vacío, María de Magdala lloraba porque se habían llevado a su Jesús, ha resonado el mensaje del Angel: ¿Por qué buscan entre los muertos a aquel que está vivo? ¡No está aquí! ¡Ha resucitado! "Como los apóstoles primero y después todos los cristianos, hasta llegar a nosotros, debemos acoger este mensaje para vivirlo y luego proclamarlo a todos: ¡Cristo está vivo hoy, como ayer y como siempre!

El que estaba muerto en la cruz ha dejado su tumba y está vivo. De la oscuridad de aquel sepulcro surge una brillante luz que ilumina a todos los hombres para dar inicio a una nueva creación.

Si Jesús no se encuentra en la tumba vacía de Jerusalén, ciertamente, sí se encuentra por todas partes del mundo.

Jesús no invitó a sus apóstoles a transmitir teorías o ideas abstractas, sino a testificar lo que habían visto y oído. La evangelización debe partir del testimonio de quienes han tenido una experiencia personal con Cristo resucitado.

Desafortunadamente, parece que nosotros hemos estado siempre más preocupados de enseñar doctrina que en comunicar la vida. Para crecer en la vida de Dios, se necesita primero estar lleno del poder del Espíritu Santo. En estos días lo hemos subrayado intensamente.

Un evangelizador, antes que nada, es un testigo que tiene una experiencia personal de la muerte y resurrección de Cristo Jesús, y transmite a los otros, más que una doctrina, una persona viva que ofrece vida en abundancia.

Sólo después, y siempre después, se debe dar catequesis y enseñar moral.

Algunas veces nosotros nos esmeramos que la gente observe los mandamientos. No debemos olvidar que la Ley fue dada después de la Teofanía del Sinaí. Por lo tanto, ninguno puede ser un auténtico mensajero del Evangelio, si él mismo no ha tenido su experiencia de la vida nueva dada por Jesucristo.

Cuando nosotros nos convertimos en testigos de lo que Jesús ha hecho, entonces todo cambia. Nuestro anuncio, nuestra evangelización, es rápidamente acompañada de los signos y prodigios que el Señor ha prometido.

Un anuncio, una predicación, no debe ser un hablar bien de Jesús, sino colaborar y convertirse en instrumento en sus manos para que pueda actuar con el poder de su Espíritu; quiere decir que debemos anunciar a todos su amor misericordioso, debemos dar a conocer que Jesús ama a todos indistintamente como testigos convencidos.

Alguien ha dicho en estos días: estamos volviendo a vivir lo que sucedía hace 2000 años: Sí, los dones del Espíritu no son historia del pasado. "El mundo de hoy, cansado de seguir a los maestros, se deja conducir por los testigos", decía Pablo VI. Testigos que han vivido la experiencia de la vida nueva traída por Jesucristo, en el encuentro personal con el Resucitado.

Queridos hermanos, si queremos ser verdaderos evangelizadores, no nos queda sino repetir con los apóstoles: *No podemos dejar de hablar de lo que hemos visto y oído:* Hech 4, 20.

Lo que hemos escuchado y lo que hemos visto nos desafía. El evangelizador, si no es un testigo que haya tenido su encuentro personal con Cristo resucitado, se convierte en un propagandista de teorías abstractas. El mismo debe haber experimentado en carne propia la salvación, para poder asegurar a los demás: "Lo que me pasó a mí, también te puede suceder a ti".

Lógicamente no puede darse la Nueva Evangelización sin un nuevo tipo de evangelizadores. Los discípulos de Jesús ya habían salido a evangelizar, y sin embargo Jesús les enfatizó que necesitaban algo que ellos todavía no tenían: *Recibirán la fuerza del Espíritu Santo y serán mis testigos... hasta los confines de la tierra:* Hech 1, 8. Así también nosotros necesitamos ser renovados por el Espíritu de Jesús

Lo que marca la diferencia entre un evangelizador y un nuevo evangelizador es Pentecostés. Sólo el Espíritu Santo nos convierte en testigos de la resurrección de Cristo Jesús. Quien no haya tenido su experiencia personal de Pentecostés, no puede evangelizar con poder, pues nadie puede tocar los corazones sino el Espíritu Santo, que nos hace proclamar que Jesús es el Señor y Salvador.

Al nuevo evangelizador no le bastan la ciencia, ni el servicio, ni la proclamación. Hay algo más profundo que todo eso. Hay tres personas que parecían muy ejemplares y que sin embargo les faltaba "el detallito":

a.- Nicodemo

Nicodemo era un sabio maestro de Israel, que conocía la Ley y a quien todo mundo consultaba las cuestiones mas difíciles. Sin embargo, a pesar de su ciencia, sus títulos y reconocimientos, le faltaba un detallito fundamental: nacer de nuevo.

No basta saber las cosas en la cabeza. Es necesario conocerlas por experiencia. Se puede ser un perito en las cosas del Señor, tener títulos en ciencias religiosas y hasta estar graduado en teología en una Universidad famosa, pero eso no basta. No es malo, pero puede suceder como al Padre de la procesión, que tenía todo perfectamente organizado, pero se le olvidó el detallito.

Quien ha nacido de nuevo, comunica nueva vida; si no, se reduce a teoría o pura doctrina desencarnada.

b.- Samuel

Su Madre Ana lo consagró a Yahveh apenas lo destetó. El canto de los Salmos fue la primera música que oyó y las ceremonias litúrgicas fueron el marco de su infancia. Por eso no es de extrañar que en su juventud ya le encontremos en el Templo, prestando servicios al lado del Sacerdote Elí. 1Sam 3,1 afirma que Samuel *servía* al Señor en el Santuario.

Sin embargo, consta seis versículos más adelante, que Samuel todavía no conocía al Señor. Es decir, a pesar de haber sido consagrado por su madre, a pesar de tantas horas de servicio y de entrega a las cosas del Señor, *aún no conocía* a la persona a la que servía.

Desgraciadamente podemos estar consagrados al servicio de la Casa del Señor, pero sin conocer al Señor. Se puede trabajar horas extras en la Viña del Señor, sin conocer al Viñador, ni estar enamorados del heredero. Podemos estar en las cosas del Señor, sin estar en el Señor de las cosas.

Pero en cuanto Samuel escuchó no sólo la Palabra del Señor, sino al Señor que le hablaba, se convirtió en profeta. Es decir, podemos prestar un servicio (incluso el ministerio de la Palabra) como simples asalariados, profesionales del oficio, pero cuando se tiene el encuentro personal con el Señor, entonces nos convertimos en profetas.

c.- Cleofás

Jesús logró hacer renacer las esperanzas liberadoras de Israel. Como legítimo hijo de David, alimentó la expectativa de la restauración del Reino de Israel. Sin embargo, todo se esfumó en tres días. Los sumos sacerdotes y los escribas lo arrestaron de improviso, lo condenaron y lo ejecutaron para evitar el peligro que amenazaba las estructuras existentes. Así la fiesta de la Pascua se vio salpicada por la sangre de otro cordero inocente que se derramó en el monte Calvario.

En todos sus antiguos seguidores la llama de restauración nacional se fue extinguiendo rápidamente. Ya nada había qué hacer. Unos se escondieron, otros se dispersaron y no pocos desertaron, negando su relación con el crucificado. Así moría uno más de los sueños de liberación y justicia del pueblo de Israel.

El primer día de la semana, dos discípulos salieron de la amurallada ciudad de David para recorrer el árido camino de la decepción, mientras el sol agonizaba dejando enlutado el mundo entero.

Comentaban entre sí, tristes y apesadumbrados, todo cuanto había pasado con Jesús de Nazareth; recordaban sus milagros, y curaciones: todo lo había hecho bien, sin herir ni lastimar a nadie. Se admiraban de su gran poder y reconocían que había un poder de Dios en él... pero ya todo había acabado y su esperanza había expirado por completo.

De pronto y por el mismo camino, un peregrino se unió a los dos discípulos. Llevaba un bastón de viaje en la mano, sandalias de cuero y una vaporosa túnica blanca. Al acercarse y palpar la angustia de los viandantes, preguntó: "¿De qué hablan?".

Asombrados por tanta ignorancia, se detuvieron entristecidos porque se les tocaba una llaga que no había cicatrizado. Entonces le recriminaron: "¿Eres el único habitante de la ciudad que no sabe lo que acaba de pasar? ¿En qué sepulcro estuviste escondido tres días, que no te diste cuenta de la noticia que conmovió los cimientos de la tierra y oscureció la luz del sol? ¿Qué acaso no sabes nada de lo que todo Jerusalén habla y el mundo entero comentará por muchos años?

El misterioso viandante, levantando los hombros, contestó con tono de extrañeza: "¿Qué cosas?". Esta pregunta dio cuerda al reloj de la memoria de Cleofás, el cual inmediatamente comenzó a narrar todo cuanto sabía sobre Jesús: milagros, curaciones y su misión profética.

Con aire entristecido, añadió: "Nosotros esperábamos que fuera el libertador de Israel, pero... sucede que nuestras autoridades lo condenaron a muerte y lo colgaron en una cruz; y ya han pasado tres días de todo esto...".

Cleofás había oído los gritos de la multitud que pedía la condena del Rey de los judíos. Estuvo presente en la procesión al Calvario y desde una posición prudente fue testigo de su último suspiro. Vio como rodaron la pesada piedra para sellar su sepulcro. Por esta razón, hablaba con autoridad al referirse a todos estos detalles.

Luego, con tono de incredulidad y mirada inconforme, añadió: "...sucede que esta mañana algunas mujeres de las nuestras fueron al sepulcro y nos han sobresaltado diciendo que no encontraron su cuerpo, sino que habían tenido una visión de ángeles que les anunciaron que él estaba vivo... Sin embargo, para cerciorarnos bien de todo este asunto, algunos de los nuestros se encaminaron a la tumba: la piedra estaba removida, pero no vieron nada de ángeles...

Cleofás mostró gran seguridad en todo lo referente a vida y muerte del Maestro, pero cuando se refirió a la resurrección, se limitó a repetir lo que las mujeres dijeron que los ángeles habían dicho. El no tenía experiencia personal de que Jesús estaba vivo, por eso tuvo que contar lo que otros dijeron que otros habían dicho.

El que no ha tenido experiencia de Cristo resucitado siempre tendrá que repetir lo que otros dijeron o escribieron al respecto porque él mismo no tiene nada que decir por sí mismo.

Si nos damos cuenta, el discurso de Cleofás contiene el mismo mensaje que el de Pedro el día de Pentecostés, pero con las siguientes diferencias:

1.- Pedro comunicó una Buena Noticia, mientras que Cleofás sólo transmitió una noticia.

2.- Cleofás se refirió a la muerte y resurrección con un tono triste. Su relato sobre los acontecimientos estaba envuelto en un clima de decepción. Su alegría había quedado enterrada en la tumba del crucificado.

3.- Pedro transmitió un testimonio de lo que él mismo había experimentado mientras que Cleofás simplemente repitió de memoria lo que otros le habían dicho que otros contaron.

4.- Pentecostés es el testimonio del Espíritu. En el camino de Emaús, Cleofás únicamente repite el testimonio de las mujeres.

5.- Pedro está convencido de lo que habla, Cleofás es sólo un repetidor.

6.- Y todo esto, por la gran diferencia de fondo: Cleofás fue un reportero de lo que sus corresponsales le habían transmitido acerca de la resurrección, mientras que Pedro fue testigo de lo que él mismo había experimentado.

Así, pues conviene preguntarnos si somos simples reporteros o verdaderos evangelizadores. Un reporte informa pero no convierte a nadie, mientras que un testimonio tiene fuerza de convicción.

Cleofás proclama noticias, pero no el Evangelio. No basta conocer técnicamente las verdades y los hechos que se proclaman. Es necesario al mismo tiempo ser un testigo que evangelice con su alegría contagiosa, su esperanza cierta y su seguridad personal.

Por eso, precisamente, el resultado es obvio: el discurso de un testigo, ungido con el poder del Espíritu Santo convierte 3000 almas. Mientras que con 3000 discursos como el de Cleofás, el reportero, no convierte a nadie.

En resumen, no basta, ser sabios como Nicodemo, ni ser obreros de la Viña como Samuel o ser predicadores como Cleofás. Es necesario tener un encuentro personal con Jesús resucitado. Este es el detallito fundamental que nos convierte en nuevos evangelizadores.

La Nueva Evangelización únicamente podrá ser llevada a cabo por nuevos evangelizadores que han sido renovados por el Espíritu de Dios y ungidos por su poder, y que son testigos de que Jesús vive.

H.- Nueva Estrategia

La Nueva Evangelización exige una nueva estrategia.

La única forma de comunicar todo el Evangelio a todo el hombre y todos los hombres, es si trabajamos unidos como cuerpo de Cristo.

La unión de todos los miembros del Cuerpo de Cristo es un imperativo para poder evangelizar eficazmente. En la última cena Jesús imploró en la oración sacerdotal: *Padre, que sean uno para que el mundo crea*: Jn 17,21.

A partir de este texto podemos darnos cuenta que la unidad redunda directamente en beneficio de la evangelización. Mientras cada uno esté trabajando solo o al margen de los demás, será como un miembro desprendido del cuerpo, que pierde toda su fuerza y su eficacia.

La unidad de los distintos Movimientos de la Iglesia debe ser un imperativo sobre el prestigio o reconocimiento de nuestro movimiento. Lo que nos debe interesar sobre todo es que el Evangelio llegue a todos los hombres y estructuras humanas. Si no renunciamos a nuestro particularismo, que es una forma de egoísmo, no tendremos eficacia en la evangelización.

San Lucas cuenta un episodio que ilustra maravillosamente el fruto de la unión:

Después de que Simón Pedro había pasado toda la noche intentando pescar algo, y experimentado el amargo sabor del fracaso, se retiró a la orilla para lavar sus redes.

Pero Jesús subió a su barca y lo llevó mar adentro. Tenemos que ir mucho más profundo que a donde hasta el día de hoy hemos llegado. Mientras no vayamos mar adentro o desanimados lavemos nuestras redes, jamás lograremos la abundante pesca que necesitamos.

Cuando estaban en medio del Mar de Tiberíades, le ordenó tirar las redes para pescar. Aunque a Pedro le parecía ilógico, lo hizo *"en la Palabra del Señor"*.

He aquí otro secreto de la Nueva Evangelización: si lo hacemos en nuestro nombre o a título de tal grupo o Movimiento seremos como Pedro cuando estaba pescando durante la noche, que nada logró.

Pero cuando lo hizo en el Nombre del Señor fue tal la cantidad de peces que su red casi se rompía y no la podía sacar. Cuando se da el éxito en la evangelización, se suscita otro tipo de problemas: cómo retener todos los peces sin que la red se rompa.

La siguiente enseñanza es tal vez la más rica: persistir en sacar la red llena de peces, ésta se hubiera roto. Si lo lograban, se hundiría la barca por el peso y sus vidas peligrarían, pues estaban muy lejos de la orilla.

Ellos entonces hicieron señas a sus compañeros de la otra barca, para que vinieran en su ayuda. En cuanto llegaron, sacaron juntos la red y llenaron tanto las dos barcas que casi se hundían.

Solos no podemos sacar la red, por que no resiste. Se nos rompe y la perdemos. Si queremos tener todos los peces en nuestra barca, van a ser tantos que se rasgará la red y se perderán los peces.

La estrategia acertada fue pedir ayuda a los demás compañeros de profesión. En cuanto ellos llegaron, se pudo realizar felizmente la operación. La enseñanza es que para que tengamos éxito en la evangelización debemos ayudarnos los unos a los otros. De otra manera la barca de Pedro quedará vacía o zozobrará.

"Y llenaron tanto las dos barcas" : Hay peces para todos. Todas las barcas pueden estar repletas, pero siempre bajo la misma premisa: colaborar unos con los otros. Si Pedro hubiera querido toda la pesca para sí la hubiera perdido completamente, pero cuando decidió compartirla con sus colegas de la otra barca pudo llenar su barca.

Por otra parte, cuando sus compañeros que estaban en la orilla sin nada, decidieron ayudar desinteresadamente a los que estaban pescando, fue cuando se les llenó su barca.

Tenemos demasiado poco tiempo para evangelizar. No nos podemos dar el lujo de perderlo con celos, envidias ni críticas. Tenemos que aprovecharlo evangelizando, compartiendo nuestros logros, experiencias y todo lo bueno que hemos acumulado a lo largo de nuestra carrera.

Para mí, el milagro no consistió en la gran cantidad de peces que lograron sino en la unión de los pescadores.

La abundancia de peces no fue milagro, sino la consecuencia lógica de la unión de los pescadores. Cuando evangelicemos unidos como cuerpo de Cristo, nos sorprenderemos del gran poder que tenemos cuando trabajamos juntos.

Así, pues, yo no le llamaría a este pasaje: "la pesca milagrosa", sino "el milagro de los pescadores unidos".

Cuando nos unimos para evangelizar, el testimonio de amor que manifestamos tiene más poder que las palabras que pronunciemos. Por eso Jesús dijo en la oración sacerdotal:

Padre, que sean uno como Tú y yo somos uno, para que el mundo crea: Jn 17,21.

Es decir, el testimonio de la unidad cristiana es un signo que manifiesta que el Reino ha llegado a este mundo y redunda directamente en favor de la evangelización.

Conclusión

La Nueva Evangelización es fruto del Espíritu Nuevo prometido por el profeta Ezequiel: *Infundiré en vosotros un Espíritu Nuevo...:* Ez 36, 26.

Sólo el Espíritu Santo es capaz de renovar la faz de la tierra, renovando los corazones de los que creen en Jesús como Salvador. Unicamente él nos hace proclamar que Jesús es el Señor.

El Espíritu Santo que ungió a Jesús en el Jordán, es el mismo que capacita a los evangelizadores para anunciar la resurrección de Jesucristo de entre los muertos y abre los corazones disponiéndolos a responder al llamado de la conversión.

La Nueva Evangelización es integral: todo el Evangelio para todo el hombre y todos los hombres. El Evangelio que cambia los corazones transforma igualmente las relaciones de los hombres e instaura un nuevo estilo de vida, de acuerdo a los valores y criterios evangélicos. En una palabra, instaura la civilización del amor, un reino de justicia, gozo y paz en el Espíritu.

No puede existir Nueva Evangelización sin nuevos evangelizadores que no sean reporteros que repiten lo que otros dijeron, sino testigos de ojos abiertos y corazón palpitante que han experimentado la Nueva Vida y han tocado al Verbo de Vida. Evangelizadores que evangelizan por el imperativo de quien ha tenido un encuentro personal con Cristo Jesús y no puede dejar de hablar de lo que ha vivido.

En el Congreso Internacional de la Renovación celebrado en Roma en 1975, hubo una profecía en la misma Basílica de San Pedro, Ralph Martin dijo entre otras cosas: *"Viene una etapa de evangelización como nunca antes se ha visto en mi Iglesia".*

Siete años después, el Papa comenzó a hablar de la Nueva Evangelización. ¿No será, pues, la Nueva Evangelización el camino para cumplirse esta profecía?

Por otro lado, nace en la cuna de la Renovación el proyecto *Evangelización 2000,* que está animando a los católicos a ser evangelizadores y que trata de ofrecer a Jesús un gran regalo en su aniversario 2000: un mundo más cristiano, sin guerras ni injusticias, un mundo donde reinen la justicia y la paz, la solidaridad y el amor.

Nos acercamos al año 2000. Muchos hablarán de catástrofes, pero nosotros somos mensajeros de la Buena Noticia que tanto amó Dios al mundo que envió a su Hijo único, no para condenarlo sino para que el mundo se salve.

Estamos en los finales de este segundo milenio, y si bien es verdad que existen grandes problemas y estamos en peligro de una catástrofe nuclear, no es menos cierto que Dios ama este mundo y quiere salvarlo.

Estamos en la víspera del aniversario en que Jesús va a cumplir 2000 años de estar vivo y dando vida a los que creen en su nombre. Y el Evangelio, en vez de desvanecerse o debilitarse, cobra un nuevo brillo. No hay otra respuesta para el hombre de hoy, que el estilo de vida y las enseñanzas de Jesús de Nazareth.

Nos aproximamos al año 2000, pero Jesús es el mismo ayer, hoy y siempre.

No necesitamos de un nuevo Evangelio, sino de una Nueva Evangelización. Es hora de evangelizar y de evangelizar unidos.